INDICE

iNDiCE

IO ♥ MONDO

SCRIVERE UNA FILASTROCCA

INDICE

iNDiCE

Riflessione sulla lingua

PERCORSO DIDATTICO

LETTURA E COMPRENSIONE
15, 16, 19, 21, 22, 36, 39, 41, 42, 45, 47, 49, 54, 55, 57, 58, 63, 69, 78, 81, 82, 83, 84, 86, 94, 95, 96, 98, 99, 102, 104, 105, 120, 121, 126, 127, 129

SCRITTURA
9, 11, 14, 15, 40, 43, 44, 48, 49, 59, 60, 68, 72, 79, 82, 83, 96, 98, 106, 107, 121, 125

ASCOLTO E PARLATO
8, 10, 14, 18, 23, 37, 41, 45, 47, 61, 62, 71, 95, 97, 99, 100, 101, 103, 123, 126, 127, 129, 131

RIFLESSIONE SULLA LINGUA
Lessico
8, 17, 22, 37, 38, 41, 46, 48, 49, 54, 55, 56, 57, 61, 68, 80, 82, 83, 85, 87, 94, 96, 105, 106, 114, 120, 122, 128, 130

Grammatica
14, 17, 59, 62, 80, 82, 95, 104, 106

LABORATORI
Laboratorio di ascolto e parlato
12-13, 34-35, 52-53, 76-77, 92-93, 118-119

Laboratorio di scrittura
24-25, 50-51, 90-91, 108-109, 132-133

ATTIVITÀ COOPERATIVE E LINGUAGGI ESPRESSIVI
Sport e movimento, Teatro
37, 61, 81, 89, 114, 131

Musica
19, 28, 36, 56, 63, 66, 78, 112, 136

Arte e Immagine
21, 28, 29, 31, 40, 58, 66, 67, 70, 73, 87, 97, 112, 113, 115, 125, 136, 137

RACCORDI INTERDISCIPLINARI
Storia
16, 23, 47, 122

Geografia
54, 96, 98, 101

Scienze
30, 45, 57, 79, 89, 100, 103, 107, 114

Inglese
42, 124

EDUCAZIONE CITTADINANZA
22, 33, 39, 55, 75, 96, 117, 139

Puoi trovare
i brani musicali sul sito
www.giuntiscuola.it

BENTORNATI IN GIARDINO

La scuola è ricominciata, ma non per tutti.
Ci sono cinque amici molto speciali che sono ancora in vacanza.
Vuoi giocare con loro alla CACCIA AL TESORO?
Aiutali a trovare gli oggetti che ha nascosto nonno Dino.

Vola sulla grande quercia.

Nuota fino al canneto.

Scava sotto il pino.

Guarda nel cesto.

Scuola

Benvenuti in seconda.

Sali sul melo.

C'è un tesoro anche per te! Cerca nel boschetto.

Quali tesori hanno trovato i nostri amici del giardino?

ASSO: ....

OSSO: ....

ULISSE: ....

ISA: ....

ELI: ....

Ti è piaciuto il tesoro che hai trovato nel boschetto? Perché?

....

....

Quale altro tesoro ti piacerebbe trovare? Disegnalo nello spazio.

L'ESTATE DI NONNO DINO

L'estate di nonno Dino è trascorsa tranquillamente.

Nonno Dino si è dedicato alla cura del giardino: ha tagliato l'erba, ha colto i frutti, ha preparato la legna per l'inverno… insomma è stato indaffarato tutta l'estate.

A nonno Dino, però, il suo lavoro di giardiniere piace molto… perché lo fa stare in mezzo alla natura e in compagnia dei suoi amici animaletti.

SUPER parole

Nel cesto di nonno Dino ci sono tanti prodotti della natura. Indica con le frecce da dove provengono.

LEGGO e parlo

E tu, come hai trascorso le tue vacanze?

UNA CARTOLINA DA...

Che bello! Oggi al giardino è arrivata una cartolina che tutti stavano aspettando. Leggi che cosa c'è scritto sul retro.

RIMINI, 20 AGOSTO 2010

CARO NONNO,
OGGI ABBIAMO IMPARATO
A NUOTARE SENZA SALVAGENTE.
QUANDO TORNIAMO
TI RACCONTIAMO TUTTO!

UN BACIONE

ANNA E MARCO

A DINO FIORELLI

VIA GIARDINI, 30

27100 PAVIA

Qui scrivi
il testo.

LEGGO e scrivo

Adesso scrivi tu una cartolina a un tuo amico o a una tua amica.

Qui il nome
e l'indirizzo.

UNA GIORNATA SPECIALE

Oggi è un giorno speciale per nonno Dino, perché sono venuti a trovarlo Anna e Marco, i suoi nipotini.

Quando vengono a trovare il nonno i due bambini passano l'intera giornata all'aperto. Anna raccoglie i fiori per fare lavoretti, aiutata da Eli, mentre Marco gira in bicicletta, con Isa sul cestino, alla ricerca di farfalle da fotografare per la sua collezione.

Quando hanno finito, Anna e Marco radunano tutti gli animaletti e giocano con la palla, finché arriva nonno Dino con una gustosissima merenda.

LEGGO e mi Diverto

Quanti fiori e farfalle in questo giardino...
Ci sono altri animaletti che si nascondono.
Chi sono?
Trovali e cerchiali.

LEGGO e parlo

Ti è mai capitato di entrare in un grande giardino?
Che cosa hai visto?
Se tu potessi entrare nel giardino degli animaletti, che cosa faresti?

PREPARATIVI PER LA SCUOLA

Le vacanze ormai stanno terminando.
Gli animaletti incominciano a pensare alla scuola e si danno da fare per finire i compiti delle vacanze.

Osso aiuta gli altri nella lettura, Asso nei problemi, Isa in scienze, Eli in geografia e Ulisse in storia.

È bello e meno faticoso lavorare tutti insieme!

Nonno Dino, invece, si occupa di controllare che gli zaini siano in ordine e che ci sia tutto il materiale necessario.

E Anna e Marco?

Loro hanno già incominciato la scuola, proprio come te, e ti accompagneranno durante tutta la classe seconda alla scoperta di tante cose nuove.

LEGGO e scrivo

Che cosa hai messo nel tuo zaino? Completa.

Nel mio zaino ho messo: ....

....

....

....

A SCUOLA

Anna e Marco sono in classe con i loro compagni e l'insegnante.
Osserva e leggi i fumetti.

Avete portato qualche oggetto dalle vostre vacanze?

Io ho portato i pennarelli che ho comprato ieri.

Oggi vado in piscina.

PAOLO

LAURA

ANNA

ELISA

OBIETTIVI: riconoscere i comportamenti adeguati all'ascolto. Ascoltare bene i testi e comprendere il significato di termini specifici.

Sì. Io ho portato le conchiglie e i sassolini trasparenti.

MARCO

Maestra, ci porti in giardino?

MICHELE

SO ascoltare

Ora rispondi alle domande

- Che cosa ha chiesto la maestra?
- Hanno risposto tutti i bambini?
- C'è qualcuno che non ha ascoltato?
- Chi risponde alla domanda dell'insegnante?
- Quali fra questi comportamenti aiutano ad ascoltare meglio?

- ☐ Guardare chi parla.
- ☐ Colorare un disegno.
- ☐ Cercare una cosa sotto il banco.
- ☐ Stare in silenzio.
- ☐ Ascoltare con attenzione.

LEGGE L'INSEGNANTE

- Ascolta le frasi che ti legge l'insegnante, poi collega le parole ai disegni.

INSEGNANTE

ALUNNO

AULA

CATTEDRA

SCAFFALE

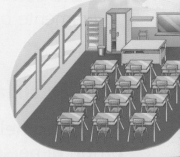

IL TESTO È IN GUIDA.

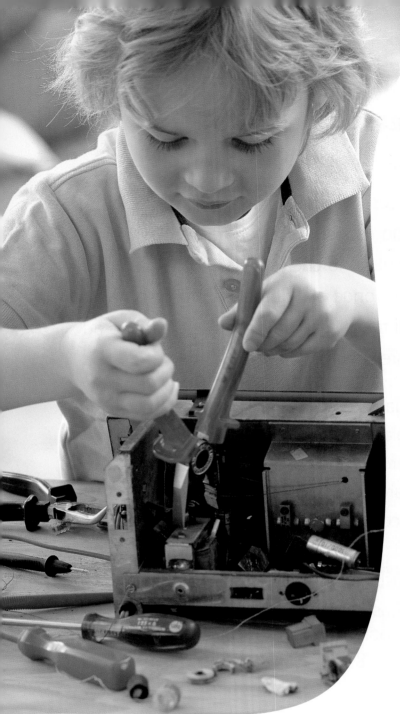

SIAMO TUTTI DIVERSI

Mario Lodi, *La mongolfiera*, Einaudi

C'era un gruppo di bambini e bambine nati nello stesso paese, chi un po' prima chi un po' dopo, ma tutti nello stesso anno. Per questo li misero insieme nella stessa classe e li affidarono a un maestro. A scuola scoprirono che tutti i bambini erano diversi, anche se avevano la stessa età e più o meno la stessa altezza. Marzia inventava poesie. Fabrizio era bravissimo nel disegno. Altri, come Angela e Laura, durante l'intervallo stampavano il giornalino. E c'era anche Umberto che aveva la testa "fra le nuvole", perché pensava sempre a costruire macchine di ogni tipo. Ogni bambino, insomma, sapeva fare qualcosa.

LEGGO e parlo

• Tu che cosa sai fare?
• In che cosa ti senti veramente bravo?

rifletto sulla lingua

Sottolinea nel testo i nomi propri di persona.

LEGGO e scrivo

Scegli due compagni, scrivi il loro nome e che cosa sanno fare.

....

....

....

....

....

NELL'AULA

Ruggero Y. Quintavalle, *Ancora fiabe in giostra*, Editrice AVE

Nell'aula silenziosa, il Tavolino Verde scricchiolò un poco e si lamentò: – Povero me! Sono pieno di umidità e di dolori. La bidella Marcella mi ha lavato, strofinato e battuto per vedere se stavo bene in piedi...

– E tutto questo perché? – interrompe il Tavolo Giallo – perché domani tornano loro! I Gessetti nuovi, che dormivano nella loro scatola, tirarono fuori i capini bianchi per domandare al Cancellino: – Che succede? Ma il Cancellino continuò a dondolarsi, attaccato al suo filo, senza dare risposta. Sopra di loro c'era la Lavagna: era grande, era nera, ma una crepa la attraversava come un grande sorriso. E i gessetti le chiesero: – Scusi Signora Lavagna, vorremmo sapere che succede. Noi siamo nuovi qua dentro.

Il sorriso della Lavagna sembrò allargarsi e rispose: – Non vi preoccupate, ragazzi. Fanno così tutti gli anni, ma domattina... vedrete.

LEGGO e scrivo

Rileggi il testo e completa le frasi.

Il tavolino è ....

Il tavolo è ....

I gessetti sono ....

La lavagna è ....

LEGGO e comprendo

• Perché l'aula è silenziosa?
• Perché la bidella ha pulito i tavoli?
• Che cosa succederà il giorno dopo? Chi tornerà?

AA.VV., *Storie brevi, filastrocche e indovinelli*, Lito Editrice

LA PICCOLA CARTELLA MARRONE

STORIA

Quali differenze ci sono tra una cartella e uno zaino? Quale non si usa più? Chiedi ai tuoi nonni che cosa usavano per portare i libri a scuola.

Si avvicina la riapertura delle scuole. Nel grande magazzino tutto il giorno è un grande pigia pigia. La sera, quando i negozi sono chiusi, copertine, cartelle, cartellette e zaini sono di pessimo umore.
– Sono stufo – dice rabbioso un grosso zaino rosa, pieno di autoadesivi. – E io? E io? – aggiunge una cartelletta trasparente. – I bambini mi adorano per il mio blu. Sanno che se mi tengono sollevata davanti al volto possono vedere la vita colorata di un bel blu.

Proprio in fondo al reparto, una piccola cartella marrone, semplice semplice, li ascolta piena di invidia... Non si ferma mai nessuno a guardarla. Ma l'indomani, una giovane e graziosa signora entra nel grande magazzino. Di colpo si ferma davanti alla cartella marrone: "Ma questa cartella è proprio quella che cercavo. La compro subito". La piccola cartella marrone ha tutti i motivi per sentirsi fiera. Sapete da chi è stata scelta? Dalla maestra!

LEGGO e comprendo

Com'è? Fai i giusti collegamenti.

Zaino   Marrone

Cartelletta   Rosa con adesivi

Cartella   Blu e trasparente

ESPERIMENTI A SCUOLA

AA.VV., *100 Storie*, Giunti Kids

Oggi a scuola, durante la lezione di scienze, ci siamo proprio divertiti! La maestra ha spiegato il senso del tatto e poi abbiamo fatto degli esperimenti.

Quando è stato il turno di Luca, lo abbiamo bendato e lui ha iniziato a toccare...

– Bleah! È... viscido... e umidiccio! Che cos'è questo coso?

Che risate quando si è tolto la benda ed ha fatto un salto alto, proprio come una... rana!

SUPER parole

Viscido vuol dire:

☐ molle e scivoloso.

☐ duro e appiccicoso.

rifletto sulla lingua

Scuola e scienze sono due parole capricciose. Sai dire perché?

LEGGO e mi Diverto

Il sacco delle sorprese

Bendate un compagno. Chiudete in un sacco un oggetto. Il bambino bendato infila la mano nel sacco, tocca l'oggetto e... indovina la forma, la grandezza, il materiale e il nome dell'oggetto.

NON SONO UN MICROBO!

Claude Gutman, *Torroncini*, Bompiani

Ero io il più piccolo della classe.

Il primo giorno, mi hanno preso in giro tutti. – Hai sbagliato scuola. Devi andare all'asilo – dicevano. Avevo così tanta voglia di piangere che mi sono nascosto nell'ultima fila.

Il maestro mi ha scoperto per caso. Mi ha costretto ad andare a sedermi proprio di fronte a lui. Ma mi hanno preso in giro ancora, per via delle gambe che penzolavano giù dalla sedia senza toccare per terra. In cortile, all'intervallo, subito mi hanno detto gnomo, scimmiottino e anche microbo.

Il capo della banda era Giacomo. Tutti gli obbedivano senza discutere. Era grande e molto forte. Quando vedevo che si avvicinava, diventavo ancora più piccolino. Ma non potevo trasformarmi in un nano! Così scappavo via senza voltarmi.

È stato Bernardo a salvarmi. Bernardo ha detto a Giacomo che sì, ero piccolo ma che lui non doveva prendere in giro i piccoli. Gli ha detto anche:
– E se qualcuno comincia a prendere in giro i grandi, come te, e dice che sono delle giraffone?

Pif, pif, paf!
Si aprono le merendine.
Cric, croc, croc!
Fan le patatine.
Gnam, gnam, gnam!
I morsi sui panini.
Glu, glu, glu!
I succhi che van giù.
Alle dieci e trenta
si ferma la lezione
e comincia il concerto
della ricreazione.

Stefano Bordiglioni, *Quante zampe ha il coccofante?*
Emme Edizioni

LEGGO e comprendo

• Leggi la filastrocca e scegli con una **X** il titolo più adatto.

☐ La merenda.

☐ La musica della ricreazione.

• Adesso copialo nello spazio del titolo.

MUSICA

Nel testo ci sono delle parole che indicano i suoni. Sottolineale.
Eccone altre: Bla Bla • Stomp Stomp • Sbam • Driiin.
Leggile ad alta voce. A che cosa ti fanno pensare? Scrivile sotto ai disegni.

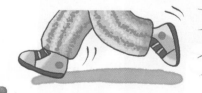   

....

Adesso insieme ai compagni racconta la ricreazione usando solo i suoni.

MATTIA NELLA LAVAGNA

Stefano Bordiglioni, *Una storia in ogni cosa*, Edizioni EL

Mattia frequentava la prima elementare ed era un bravo bambino. Gli piaceva leggere, gli piaceva scrivere, ma più di tutto gli piaceva cancellare la lavagna.

Era l'importante incarico che gli aveva assegnato la sua maestra. Un giorno, però, mentre Mattia manovrava con energia il cancellino, cadde dentro alla lavagna.

Non aveva capito come era potuto succedere. Fatto sta che ora si trovava in una specie di pianura nera, sulla quale crescevano alberelli bianchi, tutti rami e niente foglie.

Mattia si avvicinò a una di quelle strane piante e scoprì che non erano alberelli, ma lettere dell'alfabeto. Si fermò vicino a una "A" scritta in stampatello maiuscolo.

Era tutta piegata da un lato e il bambino la riconobbe: era una delle "A" che scriveva Gianmarco, uno dei suoi amici. Mattia la tirò da parte e la raddrizzò. Così stava molto meglio. Gianmarco non era bravissimo a scrivere, però era simpatico e giocava bene a calcio. Così Mattia si diede bene da fare ad aggiustare la frase scritta dal suo amico.

● Osserva le lettere.

A C N D E F M H I L V

Le lettere dell'alfabeto sono formate da linee di vario tipo: orizzontali —, verticali |, oblique /, curve (.

Disegna una lettera e divertiti a trasformarla in un oggetto, animale o persona, utilizzando diversi tipi di linee come nell'esempio.

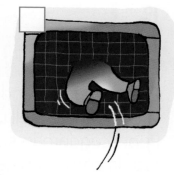

F S R L

LEGGO e comprendo

• Leggi e scegli vero V o falso F.

Mattia entra nella lavagna. V F

Gli alberi bianchi sono le lettere di Gianmarco. V F

Gianmarco sa scrivere bene. V F

Mattia corregge gli errori di Gianmarco. V F

• Metti in ordine le immagini e racconta la storia di Mattia.

L'ORA DELLA CAMPANELLA

Chiara Carminati, *Nella buccia dell'astuccio*, Mondadori

Uno sciame di bambini
si riversa per le scale
cavallini senza sella
in attesa del segnale...
Tutti allegri scoppiettanti
come mais nella padella
saltan fuori quando squilla
l'ora della... CAMPANELLA.

SUPER parole

Lo sciame è un gruppo di api che in primavera esce dall'alveare insieme all'ape regina.
Nella filastrocca vuol dire "tanti".

educazione ALLA CITTADINANZA

Che cosa fai quando suona la campanella dell'uscita? Puoi scendere le scale della scuola come "un cavallino senza sella" o devi seguire delle regole di comportamento?

LEGGO e comprendo

A che cosa assomigliano i bambini della filastrocca? Scegli con una X.

LA SCUOLA DELLA NONNA

Le avventure di Pietruzzo, tre anni di incontri, narrazioni, testimonianze fra i nonni del quartiere 4 di Firenze e gli alunni delle scuole, Comune di Firenze

Ai tempi in cui andavamo a scuola noi, le aule erano piccole e fredde e per riscaldarci portavamo da casa uno scaldino con la brace dentro, perché spesso mancava anche la legna per accendere la stufa di terracotta che era in un angolo.

In campagna solo pochi bambini andavano a scuola perché le famiglie erano molto povere e anche i più piccoli dovevano aiutare a lavorare i campi.

Nonna Emma amava molto andare a scuola ma doveva portare le pecorelle al pascolo, allora faceva il cambio con una sua sorella: un giorno lei andava a scuola e la sorella portava a pascolare le pecore, il giorno dopo lei pascolava le pecore e la sorella andava a scuola... e così ha frequentato solo la prima elementare; ma è stata così brava che ha continuato a leggere e studiare per conto suo.

LEGGO e parlo

Osserva le due foto. Quali differenze puoi vedere?

STORIA

Hai mai visto questi due oggetti? Sai che cosa sono? Osserva le foto e leggi.

Lo scaldino è un contenitore per le braci. Veniva usato per scaldare le mani o il letto.

La stufa in terracotta serviva a riscaldare gli ambienti.

Gioco a descrivere

Anna e Marco si divertono a giocare a INDOVINA COSA?
È un gioco in cui bisogna rispondere a un indovinello.

● Leggi l'indovinello di Anna
  e scegli il disegno giusto.

INDOVINA: CHE COSA HO MANGIATO IERI PER MERENDA?

È rotonda.

All'esterno è dura e liscia,
all'interno è morbida.

È dolce. Profuma di burro,
uova e cioccolato.

Fuori è gialla,
dentro è marrone scuro.

Se la mordi senti cric-croc.

Per spiegare com'è fatta la tortina, Anna ha immaginato

di guardarla , di toccarla , di assaggiarla ,

di sentirne il profumo e il rumore sotto ai denti .

Quando spieghi come è fatto un oggetto, lo descrivi. Per descrivere bene
devi usare i cinque sensi:

VISTA	TATTO	GUSTO	OLFATTO	UDITO

● Leggi di nuovo l'indovinello di Anna e sottolinea le parole che ti dicono
  com'è la sua merenda. Sottolinea con i colori abbinati ai cinque sensi.

Scrivo IO

● Immagina di avere davanti a te questa bella pizza. Prova a descriverla. Completa con le parole indicate. Cancella man mano le parole che usi.

ROSSO   INVITANTE

SCROCCHIO

BIANCO

GRANDE

ROTONDA

MARRONE

SQUISITO

CALDA   **VERDE**

● Osservo e descrivo la pizza.

La guardo ⬤ e vedo che è .... e di forma

.... È di quattro colori: il .... del pomodoro,

il .... della mozzarella, il .... della pasta di

pane e il .... del basilico. L'annuso e sento un profumo

.... La tocco ⬤ e mi accorgo che è ....

Finalmente la mangio ⬤ : ha un sapore ....

Mi piace sentire lo .... della crosta sotto i miei denti.

NOTIZIE dal GIARDINO

Carissimi Anna e Marco, come state?

Noi siamo molto indaffarati. Asso, Ulisse e io stiamo aiutando nonno Dino a raccogliere i frutti maturi. Oggi abbiamo raccolto moltissime mele, pere e fichi.

Domani coglieremo l'uva e le melagrane.

Nonno Dino ci ha promesso che lo aiuteremo anche a preparare le marmellate!

Le giornate si stanno accorciando e l'aria è più fresca.

Alcuni nostri amici, come le lucertole, i ghiri e i ricci, fra poco andranno in letargo.

Noi non ci preoccupiamo per il freddo, perché staremo al calduccio nella casa di nonno Dino.

Un grande saluto da tutti,

Osso

P.S. Mando alcune foto scattate in giardino!

ALMANACCO DELL'AUTUNNO

Osserva il calendario e rispondi alle domande.
- Quando inizia e finisce l'autunno?
- Quali feste ci sono in autunno?

SETTEMBRE

1	2	3	4	5	6	7
8	9	10	11	12	13	14
15	16	INIZIO AUTUNNO	19	20	21
22	**23**	24	25	26	27	28
29	30					

FESTA DEI NONNI

OTTOBRE

1	**2**	3	4	5	6	7
8	9	10	11	12	13	14
15	16	17	18	19	20	21
22	23	24			27	28
29	30	**31** HALLOWEEN			

Come sono dolci e succosi i chicchi della melagrana! Sanno di fragola.

Questo ghiro è così piccolo che sembra un topo, ma la sua coda è lunga e folta. Com'è tenero, arrotolato mentre dorme!

Che strana forma ha questa foglia: sembra un'enorme mano.

COMMEMO-RAZIONE DEI DEFUNTI

FESTA DELL'IMMA-COLATA

NOVEMBRE

1	2	3	4	5	6	7
		10	11	12	13	14
15		17	18	19	20	21
22	23	24	25	26	27	28
29	30					

FESTA DI OGNISSANTI

DICEMBRE

	2	3	4	5	6	7
8	9	10	11	12	13	14
15	16	17	18	19	20	21
22	23	24	25			28
29	30	31				

INIZIO INVERNO

Gustav Klimt,
Faggeto 1,
Gemäldegalerie Neue Meister,
Dresda

● Osserva il quadro.
Quale paesaggio
è rappresentato?
Quali sono i colori usati
dal pittore?

● Capovolgi il libro
e osserva il dipinto.
Che cosa noti?

MUSICA

Ascolta il brano musicale *Autunno* del musicista Antonio Vivaldi e rispondi.

● Che cosa ti fa immaginare? ☐ Il bosco.   ☐ La pioggia.   ☐ Un picnic.

● I suoni sono: ☐ veloci.   ☐ lenti.   ☐ forti.   ☐ leggeri.

● In questo brano hai
ascoltato il suono del **violino**
e del **clavicembalo**.
Li conosci?

ALBERI D'AUTUNNO

Alberi d'autunno
quante foglie sono cadute
la notte scorsa!
Pare che gli alberi
si siano girati sottosopra
e abbiano adesso
la chioma in terra
e le radici in cielo.

Juan Ramón Jimènez

● Questa poesia ti sembra
adatta a descrivere il quadro
della pagina a fianco?

UN BOSCO SOTTOSOPRA

Ti serve
● cartoncino azzurro, forbici e colla.
● ritagli di carta (rossa, gialla, viola, arancione, marrone).

Ecco come fare

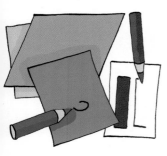   

1 Disegna tanti
ovali sulle carte
colorate per fare
le foglie, poi
disegna tante strisce
rettangolari marroni
per fare i tronchi.

2 Ritaglia foglie
e tronchi, poi
incolla i tronchi
sul cartoncino.

3 Incolla tante
foglie sul cartoncino
in alto e in basso.

4 Completa con
qualche foglia
che cade.

Ora divertiti a girare il bosco sottosopra!

LA VENDEMMIA DI FEBO

In ottobre le vigne erano cariche di bei grappoli gonfi e maturi e quando fu il tempo della vendemmia, zio Piero, che aveva un vigneto vicino alla sua cascina, ci invitò. Ci andammo tutti, compreso Febo.

Ma a lui non interessavano i grappoli da cogliere: girava tra l'erba, rincorreva qualche farfalla, cercava chissà che cosa. Mentre stavamo caricando sul carro la prima cesta piena, udimmo l'abbaiare di un cane nella cascina e Febo drizzò subito le orecchie e andò in agitazione.

– È Diana – disse zio Piero.

Febo ci lasciò alla nostra vendemmia e partì.

Dopo un po' sentimmo la voce forte di Febo e quella di Diana, mescolate insieme. Quando portammo l'ultimo carico di uva nell'aia, Diana e Febo stavano ancora giocando.

Era bello vedere come stavano bene insieme.

Mario Lodi, *Il mistero del cane*, Giunti

SCIENZE

• La vite è la pianta dell'uva. Osserva come è fatta.

FOGLIA

TRALCIO

GRAPPOLO

LA NOTTE DI HALLOWEEN

In ogni casa una zucca pelata
per questa notte un poco stregata
e una candela la illumini dentro
bella diritta e proprio nel centro.
Tanti fantasmi verranno alla porta
con gli occhi tondi e la bocca storta
e di sicuro vorranno un dolcetto
con la minaccia di uno... scherzetto!

AA.VV., *365 fiabe, storie e filastrocche*, Giunti Kids

crea

UNA CLASSE DA PAURA!

● Costruisci una ghirlanda di zucche e fantasmi da appendere in classe.

CURIOSITÀ

HALLOWEEN è il nome di una festa americana che si è diffusa anche da noi. I bambini si mascherano e giocano a "dolcetto o scherzetto". Anche tu ti mascheri?

CHE NOIA!

A Novembre il sole scende
e c'è nebbia oltre la porta.
Sfuma grigia fra le tende
la giornata troppo corta.
A novembre si sta in casa,
libri, chiacchiere, tivù.
Quando arriverà Dicembre?
Proprio non ne posso più!

Roberto Piumini, *Poesie piccole*, Mondadori

PENSIERI D'AUTUNNO

LE MIE EMOZIONI

In autunno a volte mi annoio
perché ....

....

....

Allora ....

....

....

A volte però l'autunno mi piace e sono felice
perché ....

....

....

....

Disegna le tue emozioni.
Quando mi annoio sono così:

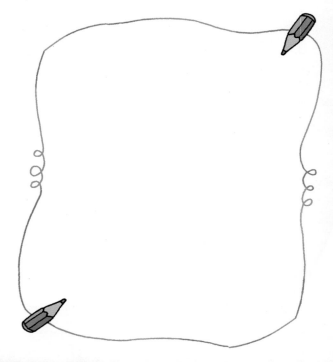

ANDAR PER FUNGHI

Con il loro forte profumo di terra bagnata e il loro cappello in testa, i funghi non sono delle piante come le altre. Non hanno le radici, non hanno le foglie, non hanno i fiori. Amano il caldo e l'umidità. In autunno, quando il terreno è ancora intriso di sole, spuntano con la pioggia e crescono velocemente.

Ma attenzione! Anche se sono belli da vedersi, possono essere mortali.

Non toccare i funghi che non conosci. E non ribaltarli con il piede, perché servono a decomporre il terreno e a produrre l'**humus**.

Sonia Goldie, *A spasso nel bosco*, Editoriale Scienza

CURIOSITÀ

L'**humus** è formato da foglie e rametti caduti a terra che, con il tempo, si trasformano in un terriccio utile per la crescita delle piante.

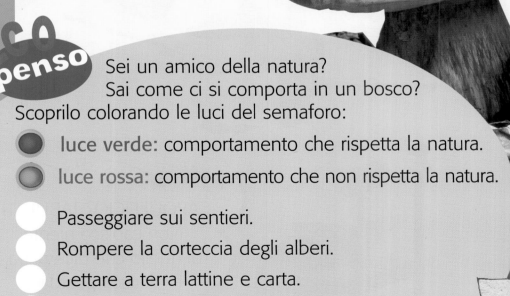

ECO penso

Sei un amico della natura?
Sai come ci si comporta in un bosco?
Scoprilo colorando le luci del semaforo:

- 🟢 **luce verde:** comportamento che rispetta la natura.
- 🔴 **luce rossa:** comportamento che non rispetta la natura.

- ⚪ Passeggiare sui sentieri.
- ⚪ Rompere la corteccia degli alberi.
- ⚪ Gettare a terra lattine e carta.
- ⚪ Parlare sottovoce.
- ⚪ Strappare fiori o piantine.

ECO DRIN
Tutto ciò che vive nel bosco è utile.

A CASA

È ora di cena a casa di Anna e di Marco.
Le due famiglie sono sedute a tavola.

- Osserva le immagini
  e leggi i fumetti.

OBIETTIVI: riflettere sull'importanza di comprendere il significato dei termini durante l'ascolto.
Riconoscere in un testo ascoltato i termini non conosciuti.

Come è andata oggi in negozio?

Male! Mi sono stancata moltissimo. La caporeparto mi ha fatto rifare tutto l'inventario!

Mamma, che cos'è la CAPOREPARTO? e l'INVENTARIO?

SO ascoltare

Ora rispondi alle domande

• Di che cosa stanno parlando i genitori di Anna e i genitori di Marco? ....

• Perché Anna decide di guardare la televisione?
....

• Che cosa fa invece Marco? ....
....

• Secondo te, chi si comporta in modo corretto? Perché? ....

• Tu chiedi spiegazioni quando non conosci il significato delle parole che ascolti? ....
....

LEGGE L'INSEGNANTE

• Ascolta il brano che ti legge l'insegnante. Sentirai alcune parole che per te forse sono difficili. Cerchiale fra quelle riportate qui sotto e chiedi all'insegnante di spiegarti il significato di quelle che non conosci.

COMIGNOLI   TEGOLE
CANTINA   TAPPARELLE
PERSIANE   SOLAIO

IL TESTO È IN GUIDA.

PIOGGIA, VENTO, NINNA NANNA

Roberto Piumini, *Ninne nanne di parole*, Fabbri Editori

Fuori cade, cade pioggia:
Maga pioggia che passeggia.
Fuori tira, tira vento:
Mago vento in movimento.
Qui non cade, qui non piove
qui il vento non si muove,
niente gocce sui capelli,
niente vento a mulinelli.
Fuori pioggia, casa asciutta,
fuori scrosci, casa zitta,
fuori vento scatenato,
qui il suono del tuo fiato,
fuori l'acqua sopra il tetto,
qui il sonno dentro il letto
fuori vento che va in giro,
qui la pace del respiro.

LEGGO e comprendo

Immagina di essere nella casa della Ninna nanna: che cosa provi? Colora la targhetta della tua emozione.

| PAURA |
| GIOIA |
| TRISTEZZA |
| TRANQUILLITÀ |

 MUSICA

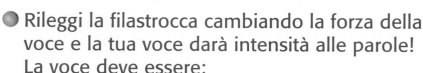

- Rileggi la filastrocca cambiando la forza della voce e la tua voce darà intensità alle parole! La voce deve essere:
  - leggera per la pioggia e l'acqua;
  - sempre più forte per il vento;
  - sempre più leggera dentro la casa.

LE TENDE DELLA CAMERA

Brigitte Smadja, *Libri? No grazie*, Emme Edizioni

Quando ero piccolo mi piaceva nascondermi dietro le tende. Mamma aveva il compito di trovarmi. – Stefano, Stefano, dove sei? – Sentivo la voce avvicinarsi e improvvisamente le tende si aprivano.

Ogni volta avevo paura, ogni volta mi spaventavo per davvero: era bello.

Con papà le tende servivano per gli spettacoli.

Io mi nascondevo e papà diceva:

– E adesso ecco a voi il piccolo Stefano! Signore e signori, un caloroso applauso!

Io tiravo bruscamente le tende. Papà e mamma applaudivano e guardavano il mio spettacolo.

SUPER parole

Un applauso è caloroso se:

☐ fa venire caldo.

☐ è forte e gioioso.

LEGGO e mi Diverto

Tutti a teatro!

Prepara con i tuoi compagni un breve spettacolo. A turno un bambino sarà il presentatore, alcuni compagni gli attori e altri il pubblico. In questo spettacolo ogni attore deve saper fare qualcosa di speciale.

LEGGO e parlo

Ricordi alcuni giochi che facevi da piccolo in casa? Chi giocava con te? Quale era il gioco più divertente?

37

REGOLE IN FAMIGLIA

Mario Gomboli, *I consigli di Luporosso, Buona educazione*, Fabbri Editori

Luporosso considera la sua casa territorio privatissimo, dove fare i propri comodi.
Quando sono gli altri abitanti della casa a comportarsi da egoisti, Luporosso diventa matto.
C'è chi si piazza in bagno per ore (e lui chiuso fuori, a saltellare); chi ascolta la musica a un volume insopportabile (e lui ne è assordato); chi impone i programmi della televisione (e lui deve sorbirseli anche se non gli piacciono).
Invece la casa è di tutti quelli che la abitano e va vissuta cercando di mettere d'accordo le diverse esigenze. Pazientemente.
Perciò...

SUPER parole

Le esigenze sono:

- ☐ le regole di buon comportamento.
- ☐ i bisogni di una persona.

Non lasciare in giro le tue cose: prima o poi qualcuno potrebbe pensare che non ti interessano abbastanza e decidere... di gettare via tutto!

Non toccare gli oggetti degli altri, specialmente quelli dei grandi, se vuoi che nessuno metta mano nei tuoi cassetti senza permesso devi dare il buon esempio.

Non sporcare spargendo cartacce, colori, caramelle: mostra rispetto per la fatica di chi tiene in ordine la casa, e comincia a pulirti i piedi prima di entrare.

IO ♥ MONDO

educazione ALLA CITTADINANZA

Sottolinea nel testo le regole di comportamento che è giusto rispettare in casa. Poi parlane con i tuoi compagni.

LEGGO e comprendo

Vero **V** o falso **F** ? Scegli con una **X**.

Luporosso rispetta le esigenze degli altri. **V** **F**

Luporosso è contento quando gli altri non rispettano le sue esigenze. **V** **F**

Le regole di casa aiutano a vivere bene tutti insieme. **V** **F**

SE LA MAMMA MI CHIEDESSE...

Alice Sturiale, *Il libro di Alice*, Rizzoli

Se la mamma mi chiedesse una casa dove poter riposare, gliela costruirei in cima ad una montagna, vicino ad un grazioso paesino.

E gliela costruirei in un bosco, così che la mattina, quando si sveglia, si illumini della luce che filtra tra le foglie.

E metterei nella stanza da letto un letto con i materassi di piuma e le coperte di petali di tutti i fiori.

E metterei un caminetto per scaldarsi quando è freddo, e una tavola imbandita di tutto ciò che vuole.

Vicino alla casa vorrei che ci fosse un albero con un nido di uccelli che quando desidera la mamma le cantino una ninna-nanna per farla addormentare.

E siccome non so più che cosa potrei mettere nella casa dei sogni, le darei una bacchetta magica così che possa avverare tutti i suoi desideri.

LEGGO e scrivo

Immagina di poter costruire una casa speciale.
Rispondi sul quaderno.
• Dove vuoi costruirla?
• Quali stanze ci sono?
• Che cosa ci metti in questa casa?
• Chi ci vive?

Crea

● Per rendere la casa che hai creato ancora più speciale, crea delle decorazioni per abbellire le pareti.

Prova prima con i PUNTI

Poi con le LINEE

Infine con PUNTI e LINEE

ASPETTO
UN FRATELLINO

Fanny Joly, *Il fratellino all'attacco*, Franco Panini Ragazzi

Quando mi hanno detto che aspettavamo un fratellino, ho avuto un po' di paura, ma solo all'inizio. Degli amici poco informati, come quella strega della Mariaclara, mi avevano raccontato che i fratellini sono terribili, che vomitano, piangono, e robe del genere.

Ma, dentro di me, in fondo in fondo, sapevo che questo fratellino mi sarebbe piaciuto, che gli avrei dato da mangiare e l'avrei curato.

Perché voglio che diventi un tipo fantastico.

Quasi come me, anche se è maschio.

SUPER parole

Un tipo fantastico è:

☐ una persona creata dalla fantasia.
☐ una persona eccezionale.

LEGGO e comprendo

• Chi sta aspettando un fratellino?
☐ Un bambino. ☐ Una bambina.

• È contenta? ☐ Sì. ☐ No.

• Che tipo di fratellino vorrebbe?
☐ Diverso da lei. ☐ Simile a lei.

LEGGO e parlo

• Quanti bambini della tua classe hanno fratelli o sorelle?
• È bello avere dei fratelli? Perché?
• Che cosa ti piace o piacerebbe fare con loro?

UN PICNIC PERFETTO

AA.VV., *Tante storie per la nanna*, Castelli in aria

– Oh, mamma – si lamentava Jack guardando fuori dalla finestra – sta piovendo a dirotto!

L'amica di Jack, Catherine, stava venendo da lui a giocare e la mamma aveva promesso di portarli a fare un picnic nel parco. Ma come potevano fare un picnic sotto la pioggia?

– Non importa – disse la mamma. – Mi è venuta un'idea. Prese dall'armadio una grande tovaglia, andò in cucina e chiuse la porta. Catherine arrivò e si mise a giocare a carte con Jack per un po'.

Quando la mamma li chiamò dicendo: – È ora di merenda! – , i due si precipitarono in cucina.

LEGGO e comprendo

- Che cosa hanno in programma Jack, Catherine e la mamma?
  - ☐ Una gita nel parco.
  - ☐ Un picnic nel parco.

- Che tempo fa?
  - ☐ È nuvoloso.
  - ☐ Piove.

- Che cosa fa la mamma?
  - ☐ Prepara una tenda.
  - ☐ Trasforma il tavolo della sua cucina in una tana.

In mezzo alla stanza c'era una "vera" tana con il tavolo che faceva da tetto e la tovaglia da pareti, e dentro c'era il picnic che li aspettava! La mamma aveva impilato dei sassi tutt'attorno e aveva pinzato alla tovaglia un grosso cartello con su scritto "Tana di Jack e Catherine: alla larga!"

– Oh, mamma – disse Jack – hai avuto un'idea geniale! Possiamo fare sempre il picnic dentro casa?

INGLESE

Il picnic è una parola inglese; indica un pranzo o una merenda che si fa all'aperto.

LEGGO e scrivo

Hai mai fatto un picnic?
Se non lo hai mai fatto prova a immaginare, poi completa le frasi.

- Un giorno sono andato/a a fare un picnic a ....

- Con me c'erano ....

- Ci siamo fermati in ....

- Abbiamo preparato ....

- Nel cesto del picnic c'erano ....

- Dopo aver mangiato ....

- Alla fine della giornata ....

CI VORREBBE UNA MAGIA!

Veronica Pellegrini, *200 storie per bambine*, Giunti Kids

– Ci vorrebbe una magia! – disse Matilde guardandosi intorno nella sua cameretta. – Se entra la mamma sono guai! Guarda che disordine! Ci vorrebbe proprio una bacchetta magica o una scopa stregata! Quasi quasi...

All'improvviso Matilde si ricordò di un manuale che aveva in casa, un libro per aspiranti maghe. Andò subito a cercare fra quelle pagine stregate ed eccola! Una scopa magica capace di pulire più in fretta la cameretta.

Doveva procurarsi tutto l'occorrente: "in un bosco o un giardino con molte piante", c'era scritto nel libro. "Perfetto! Andrò nel boschetto vicino a casa", pensò la ragazzina.

– Vieni Micia? – e si portò dietro la gatta che la seguiva ovunque.

– Eccolo! – disse vedendo per terra un ramo nodoso e irregolare. Il manuale diceva che così la scopa sarebbe stata più bella e soprattutto più potente.

Ora i rametti: ne raccolse una gran quantità, giunchi, salici...

Prese poi tutti i rametti, li avvicinò come a formare un mazzo di fiori e li legò attorno al manico con del filo di rame.

"Il rame" diceva il manuale "ha la proprietà di attrarre su di sé l'elettricità". – Ora cara Micia, dobbiamo caricare la scopa. Devo tenerla esposta alla luce della luna per quattro notti e farle fare quattro giravolte nella stanza...

Il quinto giorno la scopa era carica e pronta per spazzare la stanza, e mettere tutto in ordine. Matilde prese la scopa stregata e iniziò a spazzare la sua cameretta recitando: "Spazza o ramazza, la scopa è un po' pazza".

"Strana formula" pensò, ma poi vide che... FUNZIONAVA!

Finalmente la mamma entrò nella stanza ed esclamò: – Questa sì che è una magia!

SCIENZE

Il **salice** e il **giunco** sono piante con parti flessibili, cioè che si piegano facilmente. Del giunco un tempo si usava il fusto per legare; del salice ancora oggi si usano i rami (i vimini) per realizzare mobili o cesti.

SALICE

GIUNCO

LEGGO e comprendo

Collega i disegni alle domande giuste e racconta.
Completa le frasi sul quaderno.

Come inizia la storia?

All'inizio ....

Che cosa succede?

Poi ....

Come va a finire?

Alla fine ....

IN SOLAIO

AA.VV., *Il baule del nonno*, La Ruota Editrice

Oggi fa caldo, i nonni sono a riposare, uscire non si può perché il sole picchia forte. Enrico decide di andare a frugare in soffitta. Prende una pila, sale la scala di legno, cerca di far piano; a ogni scricchiolio si ferma, è in cima.

Apre.

Nella penombra vede un baule più grosso degli altri.

Enrico si avvicina, facendosi strada con la pila. Poi apre il baule senza difficoltà.

Una grande foto incorniciata in bianco e nero. Chi sono queste persone? si chiede Enrico. Deve essere la famiglia del nonno Giuseppe. Il nonno deve essere il ragazzino in seconda fila e le persone vicino a lui il bisnonno Giovanni e la bisnonna Laura.

Le altre sono le quattro sorelle del nonno.

STORIA

Nel baule di Enrico ci sono i "nonni" di questi oggetti moderni. Cercali nel disegno e descrivili.

Enrico tira fuori dalla cassa quello che gli capita in mano.

In una grande scatola di cartone ci sono un cappello e un vestito da donna, lungo lungo: così lungo che Enrico non arriva a stenderlo tutto. Deve essere della bisnonna...

Enrico continua la "pesca". Un berretto da ferroviere. È il berretto del bisnonno, di sicuro.

Tira su un altro oggetto. Un orologio, un "cipollone", Enrico gli dà la carica: è ancora funzionante!

E ancora, un lume a petrolio e persino una vecchia macchina fotografica... Che bello! Non c'è altro nel baule. Enrico rimette a posto la roba e, dopo aver posato in cima a tutte le cose la foto di famiglia, richiude lentamente il baule e scende da basso.

LEGGO e comprendo

Che cosa succede **all'inizio** del racconto? Che cosa succede **poi**? E **alla fine**?

Metti in ordine le frasi. Numera da 1 a 3.

☐ Enrico decide di andare in soffitta. Trova un baule.

☐ Enrico chiude lentamente il baule e lascia la soffitta.

☐ Nel baule ci sono vecchie foto, vestiti e oggetti. Enrico si diverte a guardarli.

MARTINA IL CICLONE

Stefano Bordiglioni, *Storie per te*, Einaudi Ragazzi

La sveglia squillò e Martina, senza svegliarsi, si rigirò e cercò di spegnerla. Urtò con la mano il fastidioso apparecchietto sul comodino e lo fece cadere.
Martina si rimise a dormire. Fu la mamma, come tutte le mattine, a svegliarla: – Martina, un'altra sveglia rotta! Io non so proprio come fare con te!
Martina saltò giù dal letto e piombò sopra la bambola di pezza abbandonata la sera prima sul pavimento. Quindi corse a lavarsi: nel corridoio urtò inavvertitamente il geranio della mamma, che perse fiori e foglie. Uscendo dal bagno, Martina lasciò dietro di sé un laghetto attorno al lavandino, il dentifricio aperto, il pettine nella doccia, l'asciugamano in terra.
Quindi Martina si sedette a tavola e fece colazione come sempre, guardando la televisione e conversando con la mamma. Distratta dalle immagini, la bambina inzuppò il tovagliolo di carta nel latte al posto dei biscotti e lo morse con gusto. La mamma sospirò e rinunciò a sgridare quella specie di ciclone di sua figlia che sembrava avere due mani sinistre e due piedi destri. Poi Martina prese la cartella e uscì di casa.

MALATTIE INFETTIVE

AA.VV., *100 storie*, Giunti Kids

Carletto, sette anni, frequentava la Seconda B, mentre la sorella, Angelina, nove anni, era iscritta alla Quarta C della stessa scuola. Quell'inverno i fratellini furono particolarmente sfortunati: Carletto si ammalò di orecchioni, malattia diffusa nella sua classe, mentre Angelina nello stesso periodo prese il morbillo dall'amichetta Serena.

Ed eccoli lì nella loro cameretta, entrambi a letto malati e con la febbre alta: Carletto con la faccia gonfia come un pallone; Angelina piena di fastidiose bollicine rosse.

Il peggio, però, era quello che aveva detto il medico visitandoli: – Poiché i bambini sono entrambi nella fase infettiva delle malattie, può anche darsi che se la passino l'un l'altro e che, finiti gli orecchioni, scoppi il morbillo e viceversa.

Che roba! Non c'era dunque da aver fretta… I fratellini si rassegnarono a stare a letto per un bel po'.

SUPER parole

Quando una malattia è infettiva:

☐ può passare da una persona all'altra.

☐ può scoppiare.

LEGGO e comprendo

- Quando si è ammalato Carletto?
- Perché ha preso questa malattia?
- Chi si è ammalato nello stesso periodo?
- Quali sono i segni della malattia di Carletto e Angelina?
- Secondo il medico che cosa succederà?

LEGGO e scrivo

Che cosa fai quando ti capita di ammalarti? Come ti senti? Chi ti cura? È noioso essere ammalati oppure no? Perché? Racconta le tue esperienze sul quaderno.

Che bello raccontare

Oggi Marco è felice, perché è venuta a trovarlo la zia Francesca. Marco ha sempre qualcosa da raccontare alla zia e lei lo ascolta con molto interesse.

● Leggi il racconto di Marco, poi esegui le attività.

Sabato il papà ha comprato un computer nuovo.

Ne ha scelto uno molto bello con lo schermo piatto, le casse e la stampante. Quando è arrivato a **casa**, il papà ha provato ad accenderlo, ma non è riuscito a farlo funzionare, perché c'erano tante parole in inglese e lui non le capiva. Per fortuna nel nostro palazzo abita **Gianni**, un suo amico, che è molto bravo con il computer ed è venuto subito ad aiutare il papà.

Alla fine il computer ha funzionato e il papà e Gianni hanno fatto una partita con un nuovo videogioco.

Per far capire bene alla zia quello che è accaduto Marco ha raccontato i fatti in **modo ordinato**, uno dopo l'altro. Ha detto ciò che è accaduto all'**inizio**, quello che è avvenuto **dopo** e che cosa è successo alla **fine**. Il suo racconto quindi è composto di tre momenti importanti:

(INIZIO)   (SVOLGIMENTO)   (CONCLUSIONE)

• Colora le parti del racconto di Marco con i colori indicati.

• Rileggi il racconto e rispondi. Aiutati con le parole colorate.

Chi sono i personaggi? ....

Dove si svolgono i fatti? ....

Quando avvengono? ....

Scrivo IO

● Marco ha scritto un raccontino per la zia su tre foglietti, ma il vento li ha fatti volare via. Leggi e metti in ordine il racconto numerando le parti da **1** a **3**.

☐ Quando ormai aveva impastato tutto, si è accorta che le mancavano le mele. Ha deciso di usare le pere e ha aggiunto dei pezzi di cioccolato amaro per dare più sapore.
Quando l'abbiamo assaggiata, il papà ed io abbiamo esclamato: – Per fortuna hai dimenticato le mele! Questa torta è ancora più squisita!

☐ Domenica la mamma ha voluto provare una nuova ricetta per preparare la torta di mele.

☐ La mamma è stata molto contenta dei nostri complimenti e ha promesso che la preparerà ancora.

● Ora prova tu.
Osserva le immagini, racconta la storia, poi scrivila sul tuo quaderno.

1   2   3

IN CITTÀ

Anna e Marco sono ai grandi magazzini. Mentre le loro mamme fanno la fila ai camerini per provare dei vestiti, i due bambini cercano il reparto dei libri.

• Osserva le immagini e leggi i fumetti.

> Sei proprio una brava bambina a interessarti ai libri. I libri ti insegnano tante cose! Li puoi trovare all'ultimo piano, in fondo al salone.

> Scusi, dove sono i libri?

> Scusi, mi può dire dove si trovano i libri?

> Dov'è la tua mamma? Ti perdi se vai in giro da solo. I libri sono troppo lontani per te, perché sono all'ultimo piano, in fondo al salone. Aspetta la mamma e vai con lei.

OBIETTIVI: riflettere sull'importanza di ascoltare con attenzione i messaggi per selezionare le informazioni. Selezionare nei messaggi ascoltati le informazioni utili.

La commessa mi ha detto tante cose e mi sono confusa. Non so dove sono i libri.

Non ti preoccupare, Io sono stato molto attento e lo so.

SO ascoltare

Ora rispondi alle domande

• Quale dei due bambini sa dove si trovano i libri?

• Perché Anna si è confusa?

• Perché Marco invece sa dove sono i libri?

• Sottolinea nella risposta della commessa le parole che Anna doveva ascoltare attentamente per sapere dove si trovano i libri.

LEGGE L'INSEGNANTE

• Ascolta attentamente l'insegnante. Quale consegna è nascosta nel suo discorso? Segna con una ✗.

☐ Non parlate per strada.

☐ Portate con voi soltanto la merenda.

☐ Portate il pallone per giocare ai giardinetti.

IL TESTO È IN GUIDA.

IO VIVO IN CENTRO

Rebecca Treays, *La mia città*, Usborne

Io vivo in centro, in un palazzo.

Il nostro appartamento è all'ultimo piano. Gli appartamenti occupano poco spazio, perché sono costruiti l'uno sopra l'altro.

La mia amica Pia vive in periferia, cioè ai margini della città.

In periferia c'è più spazio per costruire le case. Pia ha una casa grande, con il giardino e il garage.

Noi non abbiamo il giardino, ma vicino al mio palazzo c'è un grande parco.

Quando usciamo in macchina troviamo degli ingorghi, soprattutto nelle ore di punta quando la gente va o torna dal lavoro.

Io mi annoio a stare fermo in macchina negli ingorghi.

Alcune zone della mia città sono chiuse al traffico e ci possono circolare solo le persone a piedi o in bicicletta. Qui non c'è traffico e l'aria è più pulita.

PRENDERE L'AUTOBUS

Philippe Simon, Marie-Laure Bouet, *Il tuo primo libro della città*, Larus

L'autobus è un mezzo pratico per spostarsi quando non si ha una macchina.

Fa sempre lo stesso tragitto e passa alle stesse fermate.

Per sapere dove vanno gli autobus, bisogna guardare il numero della linea e il nome della destinazione.

È facile: tutti e due sono scritti in grande al di sopra del parabrezza.

Salendo sull'autobus, Marco convalida il biglietto che ha comprato.

Se deve scendere alla prossima fermata, avverte il guidatore premendo un pulsante che accende un segnale luminoso.

SUPER parole

Il parabrezza è il vetro che ripara il guidatore.

LEGGO e comprendo

- Che cosa bisogna guardare per sapere dove vanno gli autobus?
- Che cosa fa Marco quando sale sull'autobus?
- E se deve scendere?

IO ❤ MONDO — educazione AMBIENTALE

Ricorda: per ridurre l'inquinamento in città è bene usare i mezzi pubblici e limitare l'uso dell'auto. Tu, insieme ai tuoi genitori, usi i mezzi pubblici?

LA STAZIONE

Gianni Rodari, *Filastrocche in cielo e in terra*, Einaudi Ragazzi

O che stazione molto importante:
udite la voce dell'altoparlante?
"Dal marciapiede numero nove
parte il rapido per Ogni dove".
O che stazione di riguardo,
ti chiede scusa se c'è ritardo:
"L'accelerato, sbuffando e fischiando,
arriverà alle Non–si–sa–quando".
E come infine è giunto il treno
lei si presenta senza meno:
"Mi chiamo stazione Così – e – così,
tutti quanti scendono qui".

SUPER parole

L'accelerato una volta era
il treno che fermava in tutte
le stazioni; oggi si chiama
"treno locale o regionale".

MUSICA

IL VIAGGIO DEL TRENO

● Divertitevi a fare questo gioco: alcuni bambini fanno il treno;
altri guidano il loro movimento seguendo questo ritmo:

silenzio ☐   CIUFF ◉

Il treno comincia la corsa sui binari.

| ● | | ● | | ● | | ● ● | | ● | | ● ● ● ● ● ● |

Ora il treno rallenta fino a fermarsi.

| ● ● | | ● ● | | ● ● | | ● | | ● | | ● | | ● | |

IL PASSEROTTO

AA.VV., *Gli animali della città*, Franco Panini Ragazzi

Si può dire che ovunque c'è l'uomo c'è il passerotto!

Lo ritroviamo nelle città di tutto il mondo.

Non è scontroso, ma preferisce non farsi avvicinare ed è pronto a volare via ad ogni movimento.

Ama vivere assieme ai suoi simili, con i quali, però, ha sempre qualcosa da ridire e ogni occasione è buona per attaccar briga!

È capace di arrivare a zuffe furibonde per una briciola di pane o per un filo d'erba con cui completare il nido!

I passerotti sono davvero divertenti. Se vuoi farteli amici, metti qualche briciola sul davanzale e li vedrai tornare tutti i giorni a reclamare la razione quotidiana!

SUPER parole

Attaccar briga è come dire... litigare.
Reclamare vuol dire…
sia chiedere urgentemente
sia protestare.

SCIENZE

Il passerotto è un uccello che vive in città in tutte le stagioni. È goloso di semi. A volte i contadini mettono nei campi dei pupazzi, chiamati "spaventapasseri", per allontanare gli uccellini in cerca di cibo.

LEGGO e comprendo

- Dove vive il passerotto?
- Come si comporta con gli altri uccelli?
- Che cosa mangia?
- Che cosa puoi fare per diventare suo amico?

crea

- Segui le istruzioni per costruire il quartiere cementone e poi altri quartieri: il quartiere dei fiori, dei giochi… Tutti insieme formeranno una città.

OCCORRENTE: fogli bianchi, colori, forbici, colla.

1. Prendi un foglio bianco e coloralo: è il terreno su cui sorge il quartiere.
Su un altro foglio disegna e colora i pezzi del quartiere: case, piante, altri edifici…

2. Sotto a ogni disegno lascia un rettangolo bianco, come una linguetta.
Ritaglia i pezzi e piega indietro la linguetta.

3. Incolla la linguetta sul terreno, così che i tuoi pezzi possano rimanere in piedi.

LA TERRA DOV'È?

Pietro Formentini, *Poesia fumetto oplà*, Nuove Edizioni Romane

Passava un'astronave su nel cielo
guidata da un Marziano verdolino.
L'astronave si fermava,
nell'aria dondolava
sopra i tetti del Quartiere Cementone.
Il Marziano mi chiedeva
un'informazione:
– Per favore, la Terra dov'è?!
Gli ho indicato
un vaso di fiori
appena innaffiato
sopra un balcone
del settimo piano.
Piano piano, il Marziano
ha guidato l'astronave
a marcia indietro.
È tornato
nello spazio profondo
lontano lontano
dal cielo del mondo.
Mi ha lasciato
con delusione
nel Quartiere Cementone.

LEGGO e comprendo

- Perché il quartiere è stato chiamato Cementone?
- Secondo te, che cosa manca in questo quartiere?

CITTÀ SENZA BAMBINI

I. Borsetto, *Il punto di partenza*, Nicola Milano Editore

Gli uomini avevano costruito le città senza pensare che in queste città ci dovevano vivere anche i bambini.

I bambini, allora, decisero di andarsene e, tutti d'accordo, abbandonarono le città.

Successe un disastro. I maestri restarono senza lavoro; senza lavoro restarono anche i fabbricanti di dolciumi e di giocattoli, senza lavoro restarono anche i nonni che non sapevano più a chi raccontare le storie. Insomma, bisognava trovare i bambini, convincerli a ritornare. Cerca e cerca per mari e per monti, finalmente li trovarono.

– Tornate! – chiesero i grandi.

– Noi torneremo se voi cambierete la città! – dissero i bambini. E spiegarono per bene come volevano che fosse la nuova città.

I grandi allora promisero di costruire una città dove i ragazzi potessero vivere felici. Ci saranno riusciti?

LEGGO e scrivo

Rispondi sul quaderno.
• Ti piace il luogo in cui vivi?
• Ti sembra un luogo adatto per i bambini? Perché?
• C'è qualcosa che vorresti cambiare?

rifletto sulla lingua

Circonda nel testo i nomi plurali.

IL REGALO

Alberto Pellai, *Scarpe verdi d'invidia*, Erickson

Il compleanno è arrivato e oggi è il grande giorno.

Papà è tornato a casa dal lavoro un'ora prima. Ha appoggiato la sua borsa sul divano, si è tolto la giacca e la cravatta e poi ha chiamato Marco per accompagnarlo al negozio di sport, dove vendono l'oggetto dei suoi desideri. Marco si è precipitato giù dalle scale, facendo i gradini tre alla volta.

Ecco perché ora sta con il naso schiacciato contro la vetrina. Poi però, il papà lo prende per mano, lo stacca da lì e lo invita a entrare con lui nel negozio.

Aprono la porta e hanno come la sensazione di entrare in un mondo magico. Ci sono tanti colori e oggetti in vendita dappertutto. Palloni, racchette, tute da ginnastica, magliette da calcio con gli stemmi di tutte le squadre del campionato.

LEGGO e scrivo

Completa le frasi e racconta la storia.

- Marco riceve un regalo perché ....
- Il papà lo accompagna in un ....
- Il negozio è ....
- Il papà gli compra ....
- Marco è ....

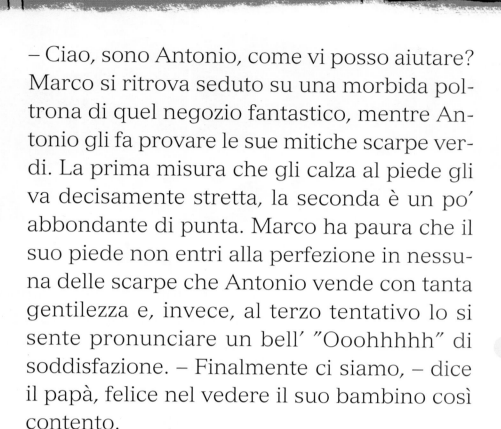

– Ciao, sono Antonio, come vi posso aiutare? Marco si ritrova seduto su una morbida poltrona di quel negozio fantastico, mentre Antonio gli fa provare le sue mitiche scarpe verdi. La prima misura che gli calza al piede gli va decisamente stretta, la seconda è un po' abbondante di punta. Marco ha paura che il suo piede non entri alla perfezione in nessuna delle scarpe che Antonio vende con tanta gentilezza e, invece, al terzo tentativo lo si sente pronunciare un bell' "Ooohhhhh" di soddisfazione. – Finalmente ci siamo, – dice il papà, felice nel vedere il suo bambino così contento.

LEGGO e parlo

Ti è capitato di ricevere un regalo molto desiderato? Che cosa era? Da chi lo hai ricevuto? Racconta.

LEGGO e mi Diverto

Facciamo finta che...

Fai finta di essere il commesso di un negozio, mentre un tuo compagno sarà il cliente.

Decidete insieme: quando, dove, perché il cliente è in quel negozio e che cosa potrebbe succedere.

Inventate e recitate una conversazione tra il commesso e il cliente.

MENTRE TU DORMI

Philippe Simon, Marie-Laure Bouet, *Il tuo primo libro della città*, Larus

È l'una di notte. Tu dormi già da molte ore. Ma sai che in città molte persone stanno lavorando?

Il fornaio si alza presto per far cuocere il pane che ha preparato la sera prima.

All'ospedale, nel reparto maternità l'infermiera di guardia si prende cura della mamma e del suo bimbo.

Sono le sei del mattino. Tu non sei ancora sveglio, ma molte persone hanno già incominciato la loro giornata di lavoro.

Il distributore di giornali si affretta perché le persone possano leggere le notizie mentre fanno colazione.

Il camion scarica le cassette di frutta e verdura e il fruttivendolo le dispone a piramide davanti al negozio.

Gli spazzini vuotano i bidoni della spazzatura nel cassone del loro camion.

LEGGO e parlo

Pensi che tutti i lavori siano importanti? Perché? Quale lavoro ti piacerebbe fare da grande? Perché? Racconta.

rifletto sulla lingua

• Sottolinea nel testo i nomi di persona che indicano un mestiere.

• Che lavoro svolge? Inserisci nei quadratini il numero giusto.

1. Barista
2. Giornalaio
3. Conducente
4. Camionista

☐ Vende i giornali.

☐ Guida il camion.

☐ Lavora al banco di un bar.

☐ Guida autobus o automobili.

MI SVEGLIO MENTRE LA CITTÀ DORME

AA.VV., *Filastrocche della buonanotte*, Parragon

Mi sveglio mentre la città dorme
E tutto nel buio sembra non avere forme.
Vedo qualche gatto che qua e là scorrazza
Mentre un vecchietto attraversa la piazza.

Tutto è silenzio e non si ode alcun rumore
Solo pianissimo il battito del mio cuore.
Non appena la luna cala dietro al tetto
Prometto che ritorno subito a letto.

È quasi l'alba, qualcuno si è già alzato
Una donna che in fretta va al mercato.
Una vecchietta con quattro cagnolini
Mentre sui rami cinguettano gli uccellini.

LEGGO e **comprendo**

Rispondi sul quaderno.
- Che cosa vede il bambino nel buio della città addormentata?
- Quale rumore sente?
- Chi si è già alzato?

Quali suoni indicati dai disegni sono Leggeri L , quali Forti F ? Segna con una X.

MUSICA

Suona il "concerto del risveglio". Pensa a quali rumori puoi sentire quando una città si risveglia. Insieme ai tuoi compagni "suona" i rumori, aggiungendo un rumore alla volta, prima leggero e poi sempre più forte.

NOTIZIE dal GIARDINO

ALMANACCO DELL'INVERNO

Osserva il calendario e rispondi.
- Quando inizia e quando finisce l'inverno?
- Quali feste ci sono in inverno? Qual è la tua festa preferita?

23 dicembre

Carissimi Anna e Marco, come state?
Noi stiamo benissimo e ci stiamo riposando. Ormai non ci sono più frutti da cogliere, però Nonno Dino ha comprato tantissimi mandarini e arance per fare le spremute. In questi giorni ha nevicato molto e il giardino sembra coperto da un mantello bianco. Il laghetto invece è tutto ghiacciato!
Domani sarà la Vigilia di Natale. La casa di Dino è molto bella con il presepe, l'albero addobbato e le ghirlande di agrifoglio. Abbiamo preparato una sorpresa per Babbo Natale: gli lasceremo sul tavolo un cestino con i biscotti.

Ciao e a presto
Asso

P.S. Guardate che belle foto ho scattato!

L'agrifoglio con le sue bacche rosse mette allegria; sta per arrivare il Natale!

Il laghetto è tutto ghiacciato! È un'ottima pista di pattinaggio!

È divertente schiacciare la buccia delle arance: schizzano goccioline profumate dappertutto!

CARNEVALE

FEBBRAIO

1	2	3	4	5	6	7
8	9	10	11	12	13	14
15	16	17	18	19	20	21
22	23	24	25	26	27	28

MARZO

1	2	3	4	5	6	7
8	9	10	11	12		14
15	16	17	18	19	20	21
22	23	24	25	26	27	28
29	30	31				

INIZIO PRIMAVERA

21

ARTE E MUSICA IN... INVERNO

Claude Monet,
La gazza,
Musée D'Orsay, Parigi

● Osserva il quadro.
Quale paesaggio è rappresentato? Quali sono i colori usati dal pittore?

Il pittore ha dipinto una gazza sulla scala di legno. Ti piacerebbe essere lì con lei?
Come ti sentiresti in quell'ambiente? Che cosa potresti fare?

MUSICA

Ascolta il brano musicale *Danza della Fata Confetto* da "Lo schiaccianoci"
del musicista Peter Čajkovskij e rispondi alle domande.

● Che cosa ti fa immaginare?

☐ I cristalli della neve.   ☐ La pioggia.   ☐ Il fuoco del camino.

● Il ritmo è:

☐ lento.   ☐ veloce.

● La musica di questo brano:

☐ ti rilassa.   ☐ ti annoia.   ☐ ti rallegra.   ☐ ti rattrista.

NEVICA

Scende il silenzio
in fiocchi gelati.
Scende un silenzio
che ammanta i prati.
Piove la danza
di lucciole cristalline.
Piove una danza
di mille stelline.
Fiocca la speranza
di un giorno lieve.
Fiocca la speranza
di giocare con la neve.

Monique Hion, *Filastrocche delle stagioni*, Motta Junior

● Questa poesia ti sembra adatta a descrivere il quadro della pagina a fianco?

CHE NEVICATA!

Ti serve
- un cartoncino o un foglio nero.
- pastelli bianchi, grigi e azzurri.

Ecco come fare

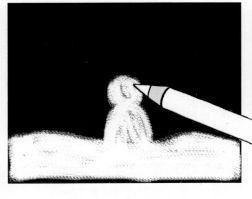

1 Prendi un foglio nero e disegna con il pastello bianco un prato e un pupazzo di neve. Per disegnare utilizza soltanto linee curve.

2 Colora il disegno soltanto con i pastelli bianchi, azzurri e grigi.

3 Alla fine riempi il cielo di pallini bianchi e vedrai che nevicata!

LA MONTAGNA

In inverno, la neve ricopre tutto. L'acqua dei torrenti non scorre più e i laghi ghiacciano.

Non si sentono più i campanacci delle mucche, che sono al caldo nelle stalle, mentre le pecore sono negli ovili.

È il momento degli sport invernali.

Con le racchette si cammina sulla neve senza fatica.

Gli sciatori scendono lungo i pendii con gli sci o con lo snowboard.

Risalgono grazie alla sciovia, alla seggiovia e alla funivia.

Lo sci di fondo permette di scivolare mentre si cammina.

Talvolta, quando il tempo migliora, la neve si scioglie un po' e aderisce più difficilmente ai pendii. Allora può staccarsi e causare delle valanghe.

E. Beaumont, S. Redaules, *La montagna*, Larus

LEGGO e scrivo

Dove vivi tu nevica spesso? Ti piace o ti piacerebbe giocare sulla neve? A quali giochi? Scrivi sul quaderno.

SUPER parole

Lo snowboard è una tavola simile a quella usata per il surf. Viene usata per fare discese e acrobazie sulla neve.

LE STAGIONI

Gira gira gira il mondo
va la Terra attorno al Sole:
l'anno è un tempo tondo,
fatto di molte parole.
Quando nascono i fiori
Primavera lo si dice.
Quando i frutti son maturi
è l'Estate, età felice.
Quando cadono le foglie
noi Autunno lo chiamiamo,
e finché il gelo si scioglie
nell'Inverno ci troviamo.
Quattro sono le stagioni,
e tre mesi ha ciascuna.
Mesi brutti, mesi buoni:
gira, gira, anche la Luna.

Roberto Piumini, *Poesie piccole*, Mondadori

LEGGO e comprendo

Scrivi accanto a ogni stagione la caratteristica
di cui si parla nella poesia.

PRIMAVERA: nascono _____

ESTATE: i frutti sono _____

AUTUNNO: cadono _____

INVERNO: il gelo non _____

BABBO NATALE ADDORMENTATO

In un nido di cicogna
Babbo Natale sogna.

Un albero illuminato.
Un bimbo incantato.
Un giorno più lieto.
Un mondo più quieto.

Sogna
sotto le stelle
tutte le cose più belle.

Nel cuore del sogno,
sai che c'è?
Un regalo
tutto per sé.

Monique Hion, *Filastrocche delle stagioni*, Motta Junior

crea

STELLE DA APPENDERE

Ecco come fare

Ti serve
- cartoncino giallo e bianco • brillantini
- filo dorato, matita, forbici, colla

1 Disegna e ritaglia tre stelle di diverse dimensioni. Segui il disegno.

2 Incolla le tre stelline una sull'altra.

3 Decora le stelline con dei brillantini. Fai un forellino sulla stella più grande e fai passare il filo dorato.

ASPETTANDO IL NATALE

Come ogni anno, in occasione del Natale la grande casa dei nonni torna a riempirsi di gente. In cucina, al calore dei termosifoni si aggiunge quello dei fornelli accesi sotto pentoloni e padelloni.

Nonna Emilia per l'occasione li tira fuori dalla credenza grigia, quella che ormai apre solo per Natale e Ferragosto, quando deve tornare a cucinare per "tutta la tribù", che vuol dire circa una ventina di persone. È una bella fatica, ma lo fa volentieri. Nonno Giulio l'aiuta.

Quando è tutto pronto lei corre in cucina e lui sale in solaio a prendere gli scatoloni del presepio.

Sono due: uno con capanna e casette, l'altro con le statuine. Hanno quasi la sua età, perché gliele aveva regalate il suo nonno, quando era bambino, perciò sono un po' vecchiette. Ma sono sempre bellissime.

Il nonno spolvera tutto con cura, così quando arrivano i nipoti si può cominciare. Perché il presepio lo fanno insieme, ogni anno.

Maria Vago, *Storie intorno al presepe*, San Paolo Edizioni

LEGGO e parlo

In casa tua in quali feste dell'anno si riunisce tutta la famiglia? Si prepara qualcosa di speciale? Che cosa fanno gli adulti? E i bambini? Racconta.

LA BEFANA

6 gennaio:
Epifania.
C'è nell'aria
una magia.
Mentre dormo nel lettino
ed un gatto fa cucù,
dalla casa sulla Luna
la Befana viene giù;
fa le smorfie a un pipistrello
e saluta una stellina:
ha compiuto cento anni
ma si sente ragazzina.
Salta i fili della luce
però scivola sul tetto:
cade proprio nel camino...
e finisce sul mio letto!

Marco Moschini, *Rimerò*, Gruppo Editoriale Raffaello

CURIOSITÀ

L'**Epifania** è una
festa religiosa cristiana
che ricorda l'arrivo dei Re
Magi alla grotta di Gesù,
seguendo una stella cometa.
Nello stesso giorno ai bambini
italiani viene data una calza
con dei regalini: è il dono
della Befana, una simpatica
e generosa vecchietta.
Se nella calza c'è del carbone
vuol dire che nell'anno
trascorso i bambini non
sono stati del tutto bravi.

LEGGO e scrivo

Come sarà la Befana?
Prova a scrivere sul quaderno
come te la immagini.
Poi disegnala.

CARNEVALE

È arrivato il Carnevale,
scoppia come un temporale!

Canti, balli e improvvisate
fra una pioggia di risate!

Con le maschere in tempesta
tutto il mondo fa gran festa!

Scoppia come un temporale,
è arrivato il Carnevale!

AA.VV., *365 fiabe, storie e filastrocche*, Giunti Kids

crea

UNO STRUMENTO CARNEVALESCO!

Ti serve
- una bottiglia di plastica bianca con il tappo
- strisce di carta colorata
- pennarelli, riso, fagioli, forbici

Ecco come fare

1 Dipingi sulla bottiglia un viso buffo con i pennarelli e incolla le strisce di carta colorata per fare i capelli.

2 Inserisci nella bottiglia una manciata di riso o di fagioli e poi chiudila con il tappo.

3 Tieni la bottiglia per il collo e scuotila a ritmo. Unisciti ai tuoi compagni e fate scoppiare un bel Carnevale!

UNA DOMENICA SPECIALISSIMA

La domenica per me è un giorno speciale, perché ho tanto tempo per stare con la mia famiglia.

Oggi c'è la nebbia, è tutto grigio e non si vede niente. Chissà che freddo fa, là fuori. Io invece, sono in casa al calduccio, insieme a mamma, papà e Margherita.

Che bello! Sto guardando i miei cartoni preferiti insieme a papà. Margherita è sulla poltrona, legge un giornalino per ragazze e ogni tanto dà una sbirciatina alla tele.

La mamma invece ci sta preparando una cioccolata calda!

È bello stare tutti insieme... mi fa sentire felice!

PENSIERI D'INVERNO

LE MIE EMOZIONI

In inverno mi sento felice perché ....

....

....

Un giorno ....

....

....

Qualche volta invece mi sento triste perché

....

....

....

Disegna le tue emozioni.
In inverno sono così:

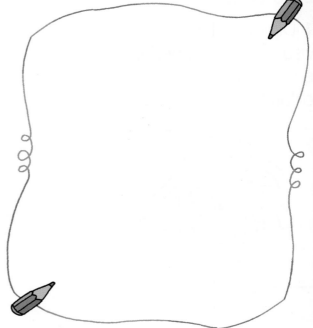

L'ALBERO DI NATALE

L'albero viene acquistato alla vigilia di Natale, o alcuni giorni prima, e va tolto dalla casa il 6 gennaio.

I bambini sono molto felici quando si recano a scegliere l'albero.

Si può prendere un abete con o senza radici.

Alcuni alberi perdono gli aghi, altri no.

Un abete con le radici può essere trapiantato in giardino.

AA.VV., *Il mio primo libro del Natale*, Larus

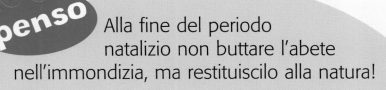

ECO penso

Alla fine del periodo natalizio non buttare l'abete nell'immondizia, ma restituiscilo alla natura!

Portalo nei centri di raccolta presenti in molte città. Qui gli alberi verranno RICICLATI: alcuni abeti saranno ripiantati in boschi e giardini, altri, malati o rinsecchiti, saranno macinati per essere trasformati in concime, cioè nutrimento per le piante in vaso.

ECO DRIN

Non buttare via le piante che non ci servono più è un modo per aiutare l'ambiente: si mantengono le strade pulite e si aiuta la natura.

NELLA NATURA

Anna e Marco sono andati con la loro classe a visitare un Parco Naturale. Alla fine del percorso la guida ha fornito le istruzioni per costruire un sacchettino con dentro il materiale utile agli uccellini per costruire il loro nido.

- Osserva le immagini
e leggi i fumetti.

> Per prima cosa prendete le retine e stendetele ben aperte sul tavolo. Dopo metteteci sopra un po' di paglia, qualche rametto, qualche striscia di stoffa e un po' di cotone. Infine unite i quattro angoli della retina per formare un sacchettino. Le vostre maestre ed io passeremo a legarvelo.

OBIETTIVI: riflettere sull'importanza di attivare strategie utili per comprendere messaggi orali. Ascoltare e individuare le istruzioni in una consegna.

Ho ascoltato solo l'inizio della spiegazione, ora come faccio per andare avanti?

Seguo il disegno che ho fatto mentre la guida spiegava, per ricordarmi.

Sono stata attenta e ora mi ricordo tutto: prima prendo la retina, dopo metto le cose, alla fine chiudo.

SO ascoltare

Ora rispondi alle domande

- Tutti i bambini riescono a fare il lavoretto?
- Chi riesce?
- Che cosa hanno fatto per ricordarsi tutto?
- Chi non può fare il lavoretto? Perché?
- E tu, hai ascoltato delle istruzioni qualche volta?
- Le hai ricordate tutte? Come hai fatto?

LEGGE L'INSEGNANTE

- Ascolta le istruzioni della tua insegnante e poi colora e completa il disegno.

IL TESTO È IN GUIDA.

77

SUONI NELLA NOTTE

AA.VV., *365 storie e filastrocche per bambini*, Gribaudo e Parragon

Dong, dong, dong, la mezzanotte è **scoccata**,
il campanile con i suoi tocchi l'ha **annunciata**.
Uuh, uuh, uuh ululano di rimbalzo i **cani**,
quelli più vicini e quelli più **lontani**.
Guu, guu, guu risponde dal ramo il **gufo**,
che di quel frastuono è proprio **stufo**.
Squik, squik, squik si è svegliato il **topolino**,
che sperava di dormire fino al **mattino**.
Cri, cri, cri inizia a cantare il **grillo**,
che di notte è molto **arzillo**.
Credevi forse che la notte fosse **silenziosa**?
Rimbomba di suoni ed è molto **rumorosa**.

LEGGO e comprendo

Nel testo sono evidenziate con lo stesso colore parole che finiscono con lo stesso suono. Quali sono? Completa come nell'esempio.

SCOCCATA ANNUNCIATA

CANI ....

GUFO ....

TOPOLINO ....

GRILLO ....

SILENZIOSA ....

MUSICA

● Vuoi provare a suonare la filastrocca?
Imita i suoni seguendo il ritmo dei pallini.

◯ suono forte e lungo   ○ suono leggero e corto

🔔	DONG	◯	◯	◯	◯
🐕	UUH	◯		◯	
🦉	GUU	○◯	○◯	○◯	○◯
🐭	SQUIK	○○	○○	○○	○○
🦗	CRI	◯	○○	◯	○○

Rileggi la filastrocca, mentre i compagni, a gruppi, "suoneranno" la notte, aggiungendo un suono alla volta, fino a suonare tutti insieme.

IL MIO CANE

Gloria Oberti - Classe terza III A Scuola primaria di Casteggio

Il mio cane si chiama Jenna, è una femmina di un anno e mezzo.

È di taglia media. Il suo pelo è corto, morbido e di tre colori: è nero, con delle macchie marroni sul muso e sulla schiena, mentre la punta della coda e la pancia sono bianche.

Non è un cane di razza, ma è un incrocio tra un beagle e un randagio.

Ha una cuccia molto grande dove va a ripararsi dal freddo e dalla pioggia.

Quando mi vede salta e abbaia come per salutarmi, mentre ringhia quando vede delle persone estranee.

Non è un cane aggressivo: con me e mio fratello è affettuoso e giocherellone.

Io sono molto affezionata a Jenna, perché sa sempre farmi sorridere.

SCIENZE

Il cane è un animale **domestico**, cioè che vive con l'uomo. Quando non ha un padrone è un **randagio**.

LEGGO e scrivo

Rispondi alle domande sul quaderno.

- Ti è capitato di osservare un animale?
- Quale? Dove? Quando?
- Qual è il suo aspetto?
- Che cosa mangia?
- Quali sono le sue abitudini?
- Come si comporta con l'uomo?

FILASTROCCA DEI VERSI DELLE BESTIE

Bruno Tognolini, *Rima rimani*, Rai-Eri, Adriano Salani Editore, Nord Sud Edizioni

Che cosa dice quell'uccello che garrisce?
Che risponde l'elefante che barrisce?
Che ne pensa quel cavallo che nitrisce?
Che vuol dire quel leone che ruggisce?
Sono tutti chiacchieroni, dai gorilla ai calabroni.
Tutti parlano, però chi li capisce?

rifletto sulla lingua

Sottolinea nel testo le parole che indicano come "parlano" i diversi animali.
Le parole che hai sottolineato sono:

☐ nomi.

☐ azioni.

SUPER parole

Collega le azioni ai suoni della voce degli animali.

Belare	Muuuu
Muggire	Beee
Miagolare	Bau
Gracidare	Miao
Cinguettare	Cra
Squittire	Cip
Abbaiare	Squit

IL CAVALLO

Giusi Quarenghi, Tullia Colombo, *Gli animali della fattoria*, Giunti

Quando arriviamo vicino allo steccato, il puledro ci viene incontro; ma quando allungo la mano per toccarlo, se ne torna svelto dalla mamma. Rachid ci dice che i cavalli sono animali curiosi, ma anche molto paurosi. A volte si spaventano perfino della loro ombra. Però sono così grandi che anche noi siamo un po' intimoriti... insomma noi abbiamo paura di loro e loro di noi! Ma Rachid sa che cavallo e uomo possono essere grandi amici. Bisogna imparare a capirsi: al cavallo piace essere accarezzato, strigliato e spazzolato, andare a spasso, sgranocchiare carote e zuccherini...

– E ricordatevi – ci raccomanda Rachid – di non stargli mai di dietro, può sempre venirgli voglia di scalciare!

LEGGO e mi Diverto

Imita i movimenti del cavallo:

al passo (lento)

al trotto (veloce)

al galoppo (ancora più veloce)

Concludi i tuoi movimenti con un nitrito "Hiiii" di felicità.

LEGGO e comprendo

• Chi è Rachid?

☐ Un cavallo.

☐ Un esperto di cavalli.

• Com'è il cavallo?

☐ Nervoso e goloso.

☐ Curioso e pauroso.

• Uomo e cavallo possono essere amici?

☐ Sì. ☐ No. ☐ A volte.

SUPER parole

La parola italiana riccio può avere tanti significati. Osserva i disegni e scopri quali sono.

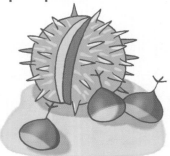

LEGGO e scrivo

Inventa una frase per ogni disegno.

LEGGO e comprendo

Vero V o falso F ?
Scegli con una X.

Pippo è un riccio. V F

Pippo è goloso di caramelle. V F

Il riccio cerca il cibo di notte. V F

Pippo è una femmina. V F

IL RICCIO

Lucia Brunelli, *In giardino*, Emme Edizioni

Pippo, il nostro amico riccio, si cibava di un mucchio di cose: oltre alle chiocciole amava la frutta matura, i lombrichi, le uova, insetti di ogni tipo e persino la carne! Insomma era un vero golosone! Ogni sera mettevamo un ingrediente diverso in un piatto vicino alla veranda e ci appostavamo dietro la finestra per spiarlo. Immagina come siamo rimasti quando una sera lo vedemmo arrivare con altri tre ricci più piccoli! Pippo, evidentemente, era una femmina e aveva portato i cuccioli a banchettare da noi: ormai erano abbastanza grandi per potersi cibare di tutto, non solo del latte della mamma.

UN GIARDINO
MOLTO ORDINATO

Monique Hion, *Filastrocche in giardino*, Motta Junior

Per me è sempre una grande (emozione)
aprire il cancello di legno (arancione.)
Dentro il giardino di nonna Enrica
non c'è l'ombra di un'ortica.
In un angolo tre bei nanetti
e tra le aiuole dritti vialetti.
Gigli arancioni, cespugli di more
e la cicoria tutta in fiore.
Frutta a spalliera, meli cotogni,
questo è il giardino dei miei sogni.

LEGGO e **scrivo**

Immagina il giardino dei tuoi sogni. Disegnalo sul quaderno e poi scrivi come è fatto.

LEGGO e **comprendo**

Cerchia con lo stesso colore le parole che hanno lo stesso suono alla fine.
Segui l'esempio.

SUPER **parole**

La frutta cresce a spalliera quando le piante si arrampicano su sostegni di legno, simili a scalette, che vengono appoggiati ai muri.

IL BOSCO DI FRULLO

Stefano Bordiglioni, *Una storia in ogni cosa*, Einaudi Ragazzi

LEGGO e comprendo

Metti in ordine le immagini e racconta la storia di Frullo.

Il bosco delle querce era bruciato e questo aveva fatto soffrire un sacco di animali: cervi, lepri, fagiani, volpi, scoiattoli, uccelli, insetti erano fuggiti davanti al fuoco e avevano perso in pochi minuti i loro alberi, i loro nidi, le loro tane.

Tutti erano andati a cercare un altro posto dove vivere, ma Frullo il passero no. Amava il bosco in cui era nato e, quando lo aveva visto bruciare, aveva sofferto molto più degli altri animali.

Era rimasto perché aveva avuto un'idea: voleva ricostruire il bosco. Anche se l'impresa poteva sembrare esagerata per un uccellino così piccolo, Frullo cominciò a volare nei dintorni in cerca di ghiande. Quando ne trovava, tornava subito indietro, volava sul bosco bruciato e lasciava cadere la ghianda nella cenere.

In autunno, quando rondini e cicogne migrarono, il piccolo passero ancora portava ghiande al suo bosco bruciato.

Venne l'inverno e Frullo il passero ancora lavorava. Quando, poi, dopo alcuni mesi, ritornò la primavera, il calore del sole svegliò le ghiande che Frullo aveva gettato in mezzo alla cenere e tante piccole querce cominciarono a crescere.

Gli altri uccelli videro tutto quel verde che cercava di sconfiggere il grigio della cenere e cominciarono a capire. Così si misero tutti di buona lena ad aiutare il piccolo passero a seminare ghiande e qualche anno dopo il bosco era di nuovo al suo posto. Sulle giovani querce c'erano di nuovo scoiattoli, piccoli ghiri e tanti uccelli. C'era anche il nido di Frullo il passero, che insieme alla sua compagna volava avanti e indietro per portare cibo ai suoi tre passerotti appena nati.

SUPER parole

Si misero tutti di buona lena è un modo per dire che:

☐ tutti lavorarono con entusiasmo.

☐ andarono in altalena.

UNA GITA IN MONTAGNA

Huck Scarry, *Bobo, va' a casa*, Fabbri Editori

LEGGO e comprendo

Leggi il testo e completa.

Fiona e il papà vogliono fare una gita in ....

In paese Fiona incontra una

....

In un fienile Fiona trova

....

Bobo, il cane, corre verso

....

e le ....

....

Il piccolo trenino blu risale la valle.

Attraversa campi punteggiati di casette di legno e grandi foreste di abeti.

Il treno si ferma alla stazione del paese. Da un vagone ecco scendere una bambina e suo padre. La bambina si chiama Fiona.

Il padre ha zaino e bastone. Fiona guarda le montagne: – Che belle, papà – dice.

Papà guarda la mappa e, a passo spedito, si dirige verso il paese. Fiona gli corre dietro.

– Papà, aspetta! Senti che belle campane!

La gente esce dalle case per vedere la sfilata delle mucche per le vie. Le mucche hanno le corna decorate di rami d'abete e di nastri.

"Din! Don! Dan!" risuonano i campanacci appesi al collo delle mucche.

Bambini e cani corrono intorno e cercano di tenere unita la mandria.

– In estate – papà spiega – i montanari lasciano le loro case nella valle e conducono le mandrie ai pascoli alti.

– È lì che andiamo in gita, papà?

– Sì – risponde papà.

I due escono dal paese e attraversano un grande prato. Il sentiero passa davanti alcuni fienili.

La porta di un fienile è aperta. Fiona si ferma a guardare. C'è buio e si sente un forte odore di fieno. Chi va là? Qualcosa si muove e corre verso la porta aperta.

"Bau! Bau!" si sente abbaiare.

– Un cucciolo! – esclama Fiona prendendo il cagnolino in braccio. – E hai anche una medaglietta!

– Ah, ti chiami Bobo! – dice. E subito Bobo le lecca il naso.

Fiona mette Bobo per terra e via di corsa a raggiungere papà.

SUPER parole

La mandria è un gruppo numeroso di grossi animali.
I pascoli alti sono i prati che si trovano sulle zone alte della montagna. Qui le mucche trascorrono tutta l'estate fino all'inizio di settembre.

crea

○ Osserva l'immagine e rispondi alle domande.
Quali sono gli elementi più vicini a te? E quelli più lontani? Sono più grandi gli elementi vicini o quelli lontani?

Gli elementi più vicini a te sono in **primo piano**, quelli più lontani sono **sullo sfondo**. Gli elementi in **primo piano** sono più grandi di quelli **sullo sfondo**.

○ Ritaglia dalle riviste paesaggi e cose, persone o animali. Incolla sui paesaggi le cose, le persone o gli animali grandi in primo piano e quelle piccole sullo sfondo e i tuoi paesaggi sembreranno veri.

L'AVVENTURA DI UNA NUVOLETTA

Vincenzina Dorigo Orio, *Tutto acqua*, Orio Editore

E tante goccioline
si presero per mano
formarono un ruscello
che zampillava piano.

Man mano che scendeva
più grosso si faceva
un torrente diventava
che gridava così:

– Ho fretta di arrivare
a tuffarmi dentro il fiume
nuotando nel suo letto
al mare arriverò.

Si mescolò nel mare
tra alghe e pesciolini
conchiglie e sassolini
e salato diventò.

Nuotava e rotolava
le onde rincorreva
finché giunse alla riva
per riposarsi un po'.

Ma il sole che lo vide
gli disse: – Su poltrone!
Ti scalderò per bene
per farti evaporar.

E tante goccioline
partirono dal mare
e in alto verso il sole
si misero a volar.

Si presero per mano
e tessero una tela
che di una nuvoletta
il vestito diventò.

Andava per il cielo
la bianca nuvoletta
finché su un'alta vetta
il vestito si impigliò.

Ricominciò la storia
che mai potrà finire
con l'acqua e con il sole
dai monti verso il mar.

LEGGO e mi Diverto

Recita e mima la
filastrocca con i tuoi
compagni. Le figure ti
aiuteranno a creare
l'avventura della nuvoletta
e... buon divertimento!

SCIENZE

Il viaggio che compiono le goccioline della
filastrocca si chiama "**Ciclo dell'acqua**".
Vuoi saperne di più? Vai alla pagina 92
del libro delle discipline.

Filastroccando

Anna e Marco sono in montagna a fare un picnic.
Anna è felice, si diverte a cantare nel prato.
A Marco piace il gioco di Anna e prova a imitarla.

SON FELICE, SON CONTENTA,
SONO FRESCA COME MENTA,
SE CON ME TU SALTERAI
PIÙ FELICE DIVENTERAI.

SON FELICE, SON CONTENTO,
SON VELOCE COME IL VENTO,
SE CON ME TU CORRERAI
CERTO TI DIVERTIRAI.

● Come ti sei sentito leggendo le parole di Anna e Marco?
Scegli con una ✗.

Per rendere divertente quello che dicevano, Anna e Marco hanno usato alcune parole che finiscono allo stesso modo, cioè che fanno **rima**.

• Sottolineale nei testi con lo stesso colore. Segui l'esempio.

I testi divertenti e che hanno le parole in rima, si chiamano **filastrocche**.
Nelle filastrocche le righe vengono chiamate **versi**.

• Da quanti versi sono formate le filastrocche di Anna e Marco? ....

Scrivo IO

- Completa i versi delle filastrocche. Scegli le parole in rima fra queste:

(MATTINA) (MARE) (PAPPAGALLO) (ROSA)

Formica, formichina
che lavori dalla sera alla ....
fermati e riposa
all'ombra di una ....

Pesciolino rosso e giallo
hai i colori di un ....
ma invece di volare
tu rincorri le onde del ....

- Rimetti insieme la filastrocca.

di giorno non le vedi più
perché il sole splende lassù.

di notte insieme vanno a giocare
con le onde in riva al mare,

La nuvola Pioggerella
è amica di una stella,

....
....
....
....
....
....

- Unisci le parole che fanno rima.

PRATO   RUSCELLO
MERENDA   GELATO
PINO   TENDA
SECCHIELLO   NASCONDINO

- Ora scegli una coppia di parole in rima e inventa un pezzetto di filastrocca. Metti insieme i tuoi versi a quelli dei compagni e avrete una **Superfilastrocca**.

91

NEL MONDO

Nella classe di Anna e Marco il giovedì pomeriggio è dedicato alla conversazione. Tutti i bambini raccontano agli altri qualcosa per farsi conoscere meglio.

• Osserva le immagini e leggi i fumetti.

Quando abitavo in Tanzania, in Africa, la mia mamma mi faceva sempre le treccine e ci metteva le perline colorate.

Ora so che cosa posso regalarle per il suo compleanno: una scatola di perline per fare collane e braccialetti.

Io, invece, quando ero in Giappone, andavo a scuola con la divisa, che era un vestito uguale per tutti.

OBIETTIVI: riflettere sull'importanza di ascoltare per interagire costruttivamente nelle conversazioni. Ascoltare e comprendere un breve testo.

Che noia, non mi interessa ascoltare quello che dicono gli altri.

Anche nella scuola dove andavo io prima di venire qui, dovevamo avere tutti il grembiule: bianco per le femmine e nero per i maschi.

SO ascoltare

Ora rispondi alle domande
• Quanti bambini hanno ascoltato?
• Da che cosa lo capisci?
• Chi non ha ascoltato?
• Perché?
• A te piace ascoltare i compagni quando parlano? Perché?

LEGGE L'INSEGNANTE

• L'insegnante ti leggerà alcune frasi dette da tre bambini diversi. Ascoltale, poi collega i disegni fra loro.

IL TESTO È IN GUIDA.   93

GIROTONDO

Maria Loretta Giraldo, *Rime per tutto l'anno*, Giunti Junior

Per la mancanza d'affetto e d'amore
un giorno il mondo ebbe un malore
e poiché si sentiva cadere
un bimbo piccino lo volle tenere.

Aprì le braccia più che poté,
però non riusciva a tenerne un granché
a lui si unì un altro bambino
ma non ne tennero che un pezzettino.

Poi vennero altri, a dieci e a venti
e unirono mani e continenti,
bambini pallidi, giallini, mori
in un girotondo di tanti colori.

E quell'abbraccio grande e rotondo
teneva in piedi l'intero mondo.

SUPER parole

Il mondo ebbe un malore vuol dire:

☐ si sentì male.
☐ si mise a giocare.

LEGGO e comprendo

- Perché il mondo si sentì male?
- Perché arrivarono tanti bambini?
- Di che colore era la loro pelle?
- Perché il girotondo era di tanti colori?

 educazione ALLA CITTADINANZA

Così salutano i bambini del mondo:

 Ni hao
(cinese)

 Ahlan
(arabo)

Hola
(spagnolo)

 Hi
(inglese)

 Buna
(rumeno)

UN NUOVO AMICO

Nicoletta Bertelle, Maria Loretta Giraldo, *Un nuovo amico di Anna*, San Paolo

Questa mattina la maestra ci ha detto:
– Verrà un amico da tanto lontano.
Si chiama Emmanuel. Dobbiamo accoglierlo bene e fargli festa.
Quando Emmanuel è entrato dalla porta ci è sembrato un bambino strano perché ha la pelle scura, e il bianco degli occhi molto bianco.
Anche i denti sono molto bianchi.
La maestra Michela mi ha chiesto: – Anna, vuoi far sedere Emmanuel vicino a te?
Io ho detto di sì e mi sentivo importante perché Emmanuel era il mio compagno di banco. Subito sono venuti gli altri bambini per vedere Emmanuel proprio da vicino, ma la maestra Michela li ha mandati tutti al loro posto.
Emmanuel, all'inizio, se ne stava tutto silenzioso e teneva la testa bassa.
Allora, ho preso il pacchetto di caramelle Mou e ne ho messa una sul suo banco.
Nessuno resiste alle caramelle Mou.
Infatti Emmanuel prima ha fatto finta di niente, ma poi l'ha presa e se l'è mangiata di gusto.
Non vedo l'ora che Emmanuel impari l'italiano perché ho tante cose da chiedergli.

LEGGO e comprendo

Che cosa fa Emmanuel quando arriva nella sua nuova classe?
E dopo, che cosa succede?

LEGGO e parlo

Ti ricordi quando hai incontrato i tuoi nuovi compagni della scuola primaria? Come ti sentivi?
Che cosa hai fatto per fare amicizia con loro?

rifletto sulla lingua

Ricerca nel testo e completa con gli aggettivi giusti.

Emmanuel ha la pelle

....

I denti sono molto

....

PAPIK

Donata Montanari, *Bambini di tutti i colori*, Fabbri Editori

Ciao, io sono Papik.
Vivo in Alaska, dalle parti del Polo Nord.
Sono un Inuit.
Inuit vuol dire "la gente".
La mia gente una volta cacciava le balene e le orche.
Alcuni lo fanno ancora.
Mio papà invece fa l'impiegato.
Qui c'è quasi sempre la neve.
Solo d'estate se ne va.
Io però non ho freddo perché ho tante cose da mettermi: gli stivali, l'hanorak, i guanti, il berretto, la sciarpa.
La mia casa è di legno.
Una volta la mia gente abitava negli igloo, che sono case fatte di neve.

SUPER parole

L'hanorak è un giubbotto impermeabile con cappuccio, in genere bordato di pelliccia.

LEGGO e comprendo

Vero V o falso F ? Scegli con una X.

	V	F
Papik vive vicino al Polo Nord.	V	F
È italiano.	V	F
Il suo papà va a caccia di balene.	V	F
In Alaska fa molto freddo.	V	F
Papik vive in un igloo.	V	F

LEGGO e scrivo

Sai presentarti come Papik? Completa.

Io mi chiamo ....

Io vivo ....

Io sono un ....

Il mio papà fa ....

La mia casa è ....

COME TI CHIAMI?

Graziella Favaro, *Amici venuti da lontano*, Nicola Milano Editore

Mi chiamo Amir come il nonno paterno che sta in Marocco: in italiano il mio nome significa "principe".

I miei genitori avevano scelto il nome ancora prima che io nascessi: se avessero avuto un maschio, gli avrebbero dato il nome del nonno. E così è stato. La mia sorellina si chiama Leila che vuol dire "notte" perché è nata in piena notte e perché è un nome che ha un bel suono, dolce e musicale, dice la mamma. Il suo nome l'abbiamo scelto insieme due giorni prima della sua nascita: abbiamo messo dei bigliettini con i nomi che ci piacevano di più in un vaso e io ho fatto l'estrazione.

Ho pescato uno dei nomi proposti dalla mamma: Leila, appunto. Amir e Leila in arabo si scrivono così:

AMIR أمير
LEILA ليلى

Fate attenzione: noi scriviamo da destra a sinistra!

LEGGO e parlo

Ti piace il tuo nome? Chi l'ha scelto? Perché? Ti piacerebbe avere un nome diverso? Quale?

Il gioco dei saluti

Gioca insieme ai compagni. Mettetevi in cerchio. Un bambino alza una gamba e dice:
– Io sono Omar e saluto così!
Tutti i bambini del cerchio ripetono l'azione e dicono:
– Tu sei Omar e saluti così!
Un altro bambino alza una spalla e dice:
– Io sono Matteo e saluto così!
Inventate altri saluti.

97

NONNO ROMI

Jobelle Mangalus, *Anni 10 classe* V A, scuola primaria di Broni

Il nonno Romi è un tipo molto serio. È alto e magro, ha i capelli corti e neri con la barbetta; è anche il Sindaco di un paese che si chiama Mindoro.
Io non so con esattezza quanti anni abbia mio nonno, ma so che ha tra i sessanta e i settantacinque anni.
Ricordo che quando ero in Filippine il nonno Romi era sempre seduto su una sedia di pelle nel cortile; a volte gli chiedevo di giocare, ma lui era sempre occupato nel lavoro di Sindaco, allora io andavo a giocare con i miei fratelli.
Per me il nonno Romi è un buon Sindaco e per questo ha vinto anche quest'anno le elezioni.
Quando ero in Filippine non vedevo tanto spesso nonno Romi ed è anche per questo motivo che non ricordo bene il suo viso.

GEOGRAFIA

Le Filippine sono formate da 11 grandi isole. La città più importante si chiama Manila. Cerca sul mappamondo le Filippine.

LEGGO e **comprendo**

Dove vive nonno Romi?
Che aspetto ha il nonno? Che cosa ricorda di lui la sua nipotina?
Perché non ricorda bene il suo viso?

LEGGO e **scrivo**

Hai anche tu un nonno o una nonna?
Dove vive? Com'è il suo aspetto?
Lo/la vedi spesso? Che cosa fai con lui/lei?
Racconta sul quaderno.

MANGIA PICCOLINO

Clara Redente, *Filastorie*, Kora

Mangia mangia Piccolino
mangia mangia mio bambino...
colazione, pranzo
e a sera una bella cenetta
ti aspetta.
Ma attenzione!
Adesso ti do una speciale ricetta.
Non mangiare mai di fretta
né con le mani sulla bicicletta.
Non riempirti mai il pancino
come fosse un palloncino...
Non fare NO con le dita
se la minestra non è squisita...
Non esagerare
non sprecare.
Ricorda: non si butta,
la minestra si mangia tutta!
E quando ogni bimbo
avrà da mangiare...
allora il mondo sarà più giusto
e ci sarà molto più gusto!

LEGGO e mi Diverto

○ Se ti avanza della frutta prepara dei gustosi spiedini. Con l'aiuto di un adulto taglia la frutta in grossi pezzi; poi infila ogni pezzo con un legnetto per fare gli spiedini. Alla fine gira lo spiedino nello zucchero per ricoprire la frutta. BUON APPETITO!

LEGGO e parlo

"La minestra non si butta".
Sei d'accordo con questo consiglio?
Perché? Tu butti via i cibi che non ti piacciono? Il cibo che butti è sprecato?
Perché? Parlane con i tuoi compagni.

LEGGO e comprendo

Colora le parole che indicano i consigli da seguire quando si mangia.

L'elefante è uno dei più grandi mammiferi della Terra.
I mammiferi sono quegli animali che partoriscono e allattano i loro piccoli.
L'elefante ha un lungo naso, la proboscide, con cui respira e sente gli odori e due lunghi e pericolosi denti, dette zanne.

LEGGO e parlo

Che cosa vuol dire prendersi cura di un animale?
Anche un animale può prendersi cura di una persona? Come?
Parlane con i compagni.

UN ANIMALE PER AMICO

Elisa Prati, Rossano Palazzeschi, *Il libro dei bambini del mondo*, Giunti Junior

Bambini e animali possono diventare grandi amici. Forse anche tu hai un animale domestico con cui ti piace giocare o c'è un animale che ti piacerebbe incontrare libero nel suo ambiente, per osservare le sue abitudini e fartelo amico. Pensa che così, come tu giochi con un un gattino, un cane, un pesciolino, ci sono bambini che giocano con elefanti, delfini, iguana, camaleonti, scimmie, grossi pappagalli, falchi, koala o procioni.

Alcuni bambini thailandesi viaggiano sugli elefanti addestrati e li guidano attraverso le foreste. L'elefante indiano, a differenza di quello africano, si lascia addestrare e da sempre aiuta a svolgere lavori pesanti, offrendo i suoi servizi anche come mezzo di trasporto. Spesso sono proprio i bambini che si prendono cura dei loro enormi amici.

GIOCHI IN OCEANIA

Elisa Prati, Rossano Palazzeschi, *Il libro dei bambini del mondo*, Giunti Junior

Ecco alcuni giochi divertenti che fanno i bambini in Oceania. Divertiti a farli anche tu!

I PESCI NELLA RETE

Ci si divide in due gruppi e uno forma un cerchio. Dentro ci sono "I pesciolini", bambini che devono provare a scappare dalla "rete", attraverso le gambe dei compagni. Quando qualcuno ci riesce s'invertono i ruoli dei due gruppi e il gioco ricomincia.

UN PUZZLE NATURALE

Si fa a pezzetti una grande foglia. Ciascun bambino ne prende un pezzetto e, dopo che il primo ha messo la sua parte di foglia per terra, gli altri devono aggiungere le proprie, in modo da ricreare la foglia.

LEGGO e parlo

Spiega ai tuoi compagni un gioco che conosci.

GEOGRAFIA

L'Oceania è un insieme di isole circondate da grandi mari chiamati Oceano Pacifico e Oceano Indiano. L'isola più grande è l'Australia. Cerca sul mappamondo l'Oceania.

FINALMENTE LA RICREAZIONE

Rita Messori, Massimo De Carolis,
Storie di ogni giorno, La Nigeria dei bambini, Sinnos Editrice

Drrriiiinnn... Questa è la campana tanto attesa dai nostri piccoli amici: finalmente la ricreazione!!

Stella, Felicia e Udo abbandonano sui banchi i loro lavori manuali e si precipitano nel cortile della scuola. Dietro un banco pieno zeppo di leccornie è seduta Chioma, col suo foulard giallo e rosso sulla testa.

La prima ad avvicinarsi al banco è Stella: – Signora Chioma che profumino che fa il *moi-moi* oggi!! Quasi quasi ne prendo due porzioni...

Stella va matta per le frittelle di *akarà*, fatte con uova, fagioli frullati, gamberetti secchi e cipolla. Le piacciono molto anche le arachidi tostate; ogni tanto ne compra un sacchetto e lo nasconde sot-

LEGGO e **comprendo**

Cerchia nel testo le parole che ti aiutano a rispondere alle domande e scrivi sul quaderno.

- Dove fanno ricreazione Stella, Felicia e Udo?
- Quali tipi di merenda vende la signora Chioma?
- Che cosa compra Stella?
- Dove mangiano la merenda i bambini?

CURIOSITÀ

Il **moi-moi** è un piatto tipico della Nigeria. È uno stufato di fagioli che di solito viene mangiato con il riso. La **naira** è la moneta usata in Nigeria.

to il banco, per poi sgranocchiare qualche nocciolina durante le ore di lezione, anche se non si potrebbe...

Intanto Felicia e Udo rimangono in disparte, con la faccia sconsolata.

– Ragazzi non fate merenda oggi? Non ditemi che non avete fame! – dice Stella rivolta ai suoi amici.

– Abbiamo dimenticato i soldi a casa! – rispondono in coro.

Un'altra abitudine dei piccoli amici è quella di dividere la merenda, nel caso che qualcuno non possa comperarla.

– Signora Chioma, quanto costano le due porzioni di *moi-moi*?

– Duemila *naira*.

– E tre sacchetti di noccioline?

– Millecinquecento *naira*.

– Vorrei anche due porzioni di *aghedì*, la polenta col ragù nelle foglie arrotolate.

– Ho anche della bellissima frutta: mango, *papaya* fresca, noce di cocco a fettine, mele dolcissime.

– No, grazie, ho mangiato la frutta ieri – risponde Stella.

Stella, Udo e Felicia si siedono a gambe incrociate sotto un grande mango per gustare la loro merenda. Proprio mentre sta finendo il suo sacchetto di noccioline, Felicia lancia improvvisamente un grido di disappunto: – Noooo! Anche oggi vogliono mangiarmi la merenda! – Felicia non si era accorta di aver appoggiato la sua porzione di *aghedì* accanto a una tana di formiche...

SCIENZE

Il mango, la papaya e la noce di cocco sono frutti che crescono in Paesi molto caldi; sono chiamati frutti tropicali.

MANGO

PAPAYA

NOCE DI COCCO

LEGGO e parlo

• Quali differenze ci sono tra la tua ricreazione e quella di Stella e dei suoi amici?

• Qual è la tua merenda preferita?

• Dividi la tua merenda con qualche compagno? Perché?

MUSICA IN PIAZZA

Gianni Rodari, *Prime fiabe e filastrocche*, Einaudi Ragazzi

Quando in piazza suona la banda
c'è il maestro che la comanda,
la comanda con la bacchetta
ma però c'è una trombetta
capricciosa… sapete che fa?
Non dice "pè-pè" ma dice "pà-pà".

Il trombone brontolone
perde il segno e fa confusione;
si spaventa il clarinetto
e pigola come un uccelletto.
Il maestro ha un bel gridare,
ognuno suona quel che gli pare.

In quel fracasso soltanto i piatti
si divertono come matti
e fanno scoppiare sul più bello
il pancino del tamburello.

LEGGO e comprendo

• Quali sono gli strumenti della banda?

☐ Chitarra.
☐ Trombone.
☐ Piatti.
☐ Pianoforte.
☐ Trombetta.
☐ Clarinetto.
☐ Tamburello.

• Chi comanda la banda?

☐ Una bacchetta.
☐ Un uccelletto.
☐ Un maestro.

rifletto sulla lingua

Scrivi maschile (M) o femminile (F) accanto al nome degli strumenti:

☐ trombetta   ☐ trombone

☐ clarinetto   ☐ piatti

☐ tamburello

IL LATTE

Doris Rubel, *Il nostro cibo*, La Coccinella

Il latte che si compra in cartoncini o bottiglie viene dalle mammelle delle mucche, che vanno munte tutti i giorni, mattina e sera.

In natura il latte di mucca è destinato ai vitellini, ma è un alimento prezioso anche per gli uomini, perché contiene proteine, vitamine e soprattutto calcio, una sostanza molto utile per la crescita di denti e ossa.

Con il latte si producono formaggi, burro, yogurt, panna, siero di latte, latte in polvere…

Il latte si usa molto in cucina, ad esempio per fare il purè di patate, le frittelle, i dolci e il gelato.

Ogni paese ha i suoi prodotti tipici derivanti dal latte. Molti non si fanno con il latte di mucca, ma con quello di pecora o di capra.

In Tibet, si trova il latte di yak, in Scandinavia quello di renna e nel deserto il latte di cammello!

LEGGO e comprendo

Rileggi il testo e completa.
Il latte può diventare

....

....

Il latte si usa per fare

....

....

SUPER parole

Le proteine e le vitamine sono sostanze che si trovano nei cibi.

CURIOSITÀ

Lo **yak** vive in alta montagna. Con la sua pelliccia si fanno coperte e maglie caldissime.
La **renna** abita in zone molto fredde.
Il **cammello** resiste al caldo e al freddo del deserto per lunghi periodi senza acqua e cibo.

105

UN LUOGO MERAVIGLIOSO

C. Solè Vendrell. J.M. Parramon

Immagina uno spazio immenso
dove qualche volta piove
e crescono le piante, i fiori, gli alberi
e nascono i ruscelli che arriveranno
al mare, dove vivono i pesci.

Uno spazio immenso dove vivono
tutti gli animali.
Un luogo meraviglioso
nel quale vi sono campi, boschi,
case e città,
montagne, grotte, sassi, rocce…

Un luogo meraviglioso
dove viviamo tutti noi.
Lo immagini?
È la Terra.

SUPER parole

Un luogo meraviglioso è:
- ☐ bello, grande e incredibile.
- ☐ affollato e pauroso.

LEGGO e scrivo

Conosci un posto meraviglioso?
Dove si trova?
Che cosa si può vedere in questo
luogo?
Rispondi alle domande sul quaderno e poi disegna il luogo che hai
scelto.

rifletto sulla lingua

Sottolinea nel testo, con
colori diversi, i nomi di
animale e di cosa.

I CANI DEI POMPIERI

Da *Invito alla lettura*, La Vita Scolastica, supplemento al n° 7 del 1-12-96

In città, quando scoppiano gli incendi, vi sono spesso dei bambini che rimangono dentro le case. Per questo, a Londra, ammaestrano apposta certi cani. Questi cani stanno sempre coi pompieri, e quando va a fuoco una casa, subito i pompieri mandano i cani a scovare i bambini.

Uno di questi cani, a Londra, salvò dodici bambini: aveva nome Bob.

Un giorno, una casa aveva preso fuoco, e quando i pompieri arrivarono là, corse fuori incontro a loro una donna. Essa piangeva e diceva che in casa c'era rimasta una bambinetta di due anni. I pompieri mandarono Bob. Bob corse su per le scale e sparì tra il fumo. Cinque minuti dopo Bob sbucava fuori dalla casa, e fra i denti reggeva la bambinetta per la camicina.

I pompieri si misero a carezzare il cane: ma Bob si divincolò come per tornare dentro la casa.

Il cane corse dentro la casa e, un momento dopo, scappò fuori con qualcosa tra i denti.

Quando la gente vide che cosa aveva portato, tutti scoppiarono a ridere: aveva portato una grossa bambola.

SCIENZE

Il cane segue gli odori per ritrovare oggetti o persone.

Per addestrare un cane da soccorso servono impegno e anni di lavoro.

Per il cane l'attività di ricerca è come un gioco, alla fine del quale riceverà i complimenti e un premio.

LEGGO e scrivo

Racconta in breve il fatto accaduto. Completa le frasi sul quaderno.

Un giorno una casa…
Nella casa era rimasta…
I pompieri…
Dopo 5 minuti Bob…
Il cane corse di nuovo…
Un momento dopo Bob…

Ecco com'è!

Marco torna a casa da scuola felice e stranamente agitato.
Nella sua classe è arrivato un nuovo bambino.

● Leggi che cosa racconta Marco alla sua mamma.

Oggi è arrivato nella nostra classe un bambino nuovo.

Si chiama Onno e viene dall'Olanda.

Ha i capelli biondi e la pelle bianchissima con tante lentiggini sul naso e sulle guance. Non è molto alto ed è piuttosto magro. I suoi occhi azzurri sono luminosi e allegri.

Quando è entrato in classe, è stato come se arrivasse il sole.

Indossava un paio di jeans talmente lunghi che si vedevano solo le punte delle scarpe da tennis e portava una felpa arancione molto larga dalle maniche così lunghe che gli nascondevano le mani.

È arrivato a scuola in bicicletta. Ci ha spiegato che lui è abituato a muoversi in bicicletta perché nel suo paese si usano poco le automobili.

È simpatico e molto socievole: ha fatto amicizia subito con tutti e a me ha regalato un bellissimo disegno del suo cane.

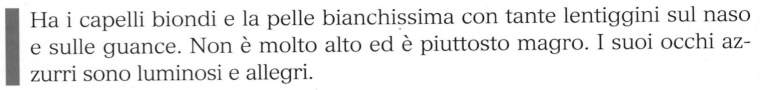

Marco ha raccontato alla sua mamma tante cose sul suo nuovo compagno:

1. CHI È
come si chiama,
da dove arriva

2. L' ASPETTO FISICO
la corporatura,
i capelli, il viso...

3. L'ABBIGLIAMENTO
com'era vestito

4. IL COMPORTAMENTO
che cosa fa di solito,
che cosa ha fatto in classe

5. IL CARATTERE
che tipo è

Marco ha fatto una **descrizione**.

• Disegna Onno sul quaderno.

Scrivo IO

● Insieme ai tuoi compagni e alla tua insegnante, gioca a: INDOVINA CHI È?
Ogni bambino deve scrivere la propria descrizione su un foglio, senza però indicare il proprio nome. L'insegnante legge le descrizioni e voi bambini dovete indovinare di chi si tratta.

Per descriverti segui questa traccia:

CHI SEI	Sono un bambino/una bambina di .... anni.
CORPORATURA	Sono .... e ....
CAPELLI	Ho i capelli .... e ....
VISO	I miei occhi sono ...., il mio naso è .... e la mia bocca ....
ABBIGLIAMENTO	Di solito indosso ...., ... e porto scarpe ....
CARATTERE	Sono .... e ....
COMPORTAMENTO	Mi riesce bene .... Mi piace ....

NOTIZIE dal GIARDINO

ALMANACCO
DI PRIMAVERA

Osserva il calendario e
rispondi alle domande.
- Quando inizia e quando
finisce la primavera?
- Quali sono i mesi
primaverili?
- Quali feste ci sono
in primavera?

25 marzo

Carissimi Anna e Marco, come state?
Noi stiamo superbene e siamo felicissimi
perché finalmente è arrivata la primavera!
C'è un grande movimento nel nostro giardino:
Eli è tornata dalla sua vacanza nei paesi caldi
e Isa si è finalmente svegliata dal lungo
letargo. Teo lo scoiattolo ha conosciuto una
simpatica scoiattolina e giocano tutto il giorno
a rincorrersi su e giù dagli alberi.
Nell'aria ronzano api e calabroni e farfalle
di tutti i colori svolazzano allegramente.
Le piante del frutteto di nonno Dino sono
tutte fiorite: in mezzo ai bianchi ciliegi, pruni
e meli, spicca il pesco con i suoi fiori rosa.
A presto,

Ulisse

PASQUA

MARZO

1	2	3	4	5	6	7
8	9	10	11	12	13	14
15	16	17	18	19	20	**21**
22	23	24	25			28
29	30	31				

INIZIO PRIMAVERA

APRILE

1	2	3	4	5	6	7
8	9	10	11	12	13	14
15	16	17	18	19	20	21
22	23	24	**25**	26	27	28
29	30					

FESTA DELLA LIBERAZIONE

È sbocciata una primula;
è ancora tutta bagnata
dall'umidità del mattino.

È bellissima! È tutta arancione
con contorni blu. Guarda come
svolazza allegra sul prato!

Il pesco si è riempito
di mille piccoli fiori rosa. Sono
talmente leggeri e delicati che
la pioggia li ha fatti cadere.

PRIMAVERA

MAGGIO

1	2	3	4	5	6	7
8	9	10	11	12	13	14
15	16	17	18	19	20	21
22	23	24	25	26	27	28
29	30	31				

GIUGNO

1	2	3	4	5	6	7
8	9	FESTA DELLA REPUBBLICA		12		14
15	16	17	18	19	INIZIO ESTATE 20	21
22	23	24	25	26	27	28
29	30					

ARTE E MUSICA IN... PRIMAVERA

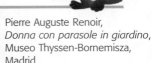

Pierre Auguste Renoir,
Donna con parasole in giardino,
Museo Thyssen-Bornemisza,
Madrid

● Osserva il quadro.
Quale paesaggio è rappresentato?
Ci sono solo elementi naturali o anche costruiti dall'uomo?
A quale stagione ti fa pensare il quadro? Perché?

MUSICA

Ascolta il brano musicale *Il volo del calabrone* del musicista Rimskij-Korsakov e rispondi alle domande.

● Quale animale ti fa immaginare?

☐ Un uccello.   ☐ Una farfalla.   ☐ Un'ape/un calabrone.

● Che cosa sta facendo?

☐ Vola.   ☐ Dorme.   ☐ Mangia.

● I suoni che senti sono: ☐ lenti.   ☐ veloci.

● In questo brano c'è il suono del **pianoforte**.

PRIMAVERA

Primavera, la neve sui monti si scioglie,
ritornan gli uccelli, ritornan le foglie,
nei prati comincia la gioia dei colori,
comincia nei bimbi la festa dei cuori.
Stagione di canti, stagione fiorita,
ma ti volti un attimo ed è già finita.

Mariolina Lucaccini, Sergio Vanni, *Filastrocche per un anno*, Giunti Kids

- Ti sembra adatta la poesia a descrivere il quadro? Perché?
- Quali elementi nominati nella poesia sono anche nel quadro?

crea

UN PRATO FIORITO

Ti serve
- un foglio di colore nero, tempere, pennelli

Ecco come fare

1 Prepara i tre colori primari

e con il pennello dipingi
dei fiorellini sparsi qua e là.

2 Unisci i colori primari
e forma i secondari, poi
dipingi altri fiorellini.

3 Per ottenere colori più
chiari aggiungi il bianco;
per ottenere colori più
scuri aggiungi il nero.

**Otterrai un prato
dai mille colori!**

LA COCCINELLA

Una coccinella
con il suo elmetto a pallini
fa le capriole
tra le viole dei giardini.
Poi si raddrizza
senza stizza
e continua a passeggiare
senza fretta d'arrivare.
Il sole è ancora alto nel cielo,
ma la coccinella su un gelsomino
schiaccia un pisolino.
Sogna una palla rossa a pois neri
che ha trovato ieri
in un frutteto di peri.

Lorenza Farina, *Marameo della luna*, SEI

LEGGO e mi Diverto

Trasformati nella coccinella.
Vola nel giardino, alzati, cammina
lentamente, fermati a dormire
e sogna. A occhi chiusi disegna
nell'aria ciò che hai sognato.

SUPER parole

Quando qualcuno prova stizza
vuol dire che è arrabbiato.

SCIENZE

● La coccinella è un insetto: ha zampe, ali e antenne.
È facile riconoscerla perché è tutta rossa con i pallini neri.
Quali altri insetti puoi incontrare in un giardino in primavera? Cerchiali.

PASQUA

È Pasqua, stamattina,
Pasqua nelle vetrine
con le uova di cioccolato.
Pasqua nell'erba novella,
nel cielo,
nell'acqua che brilla,
tranquilla,
nel sole.
È Pasqua nelle chiese,
nel suono delle campane,
nelle mille preghiere.

Umberto Magrini, Paola Magrini Castellini,
Letture. Dall'autunno all'estate, Garzanti

crea

BIGLIETTO PASQUALE

Ti serve

- cartoncino rosa e azzurro
- nastro colorato o lana
- colla, forbici, matita
- foglio di carta giallo
- pennarello

Ecco come fare

1 Ritaglia dal cartoncino rosa un rettangolo e piegalo a metà.

2 Ritaglia dal cartoncino azzurro un rettangolo più piccolo e incollalo su quello rosa.

3 Ritaglia dalla carta gialla una campana e incollala sul cartoncino azzurro. Taglia due pezzettini di nastro o di lana per formare il fiocco.

4 Apri il tuo biglietto e all'interno scrivi con il pennarello i tuoi auguri di buona Pasqua.

CHE SORPRESA

Quando esce da scuola, Camilla trova ad aspettarla la mamma e Tobia, il suo cagnolino.

– Oggi non fa freddo – dice Camilla alla mamma.

Poi le chiede: – Ci fermiamo ai giardinetti?

L'aria è tiepida e splende il sole, così la mamma accetta.

Camilla mangia la merenda e poi fa giocare Tobia con la palla. La palla però rotola sotto un cespuglio e la bimba corre a prenderla.

Quando la raggiunge, Camilla rimane a bocca aperta. Sotto il cespuglio c'è un ciuffo di violette. Che sorpresa! Sono i primi fiori di primavera.

Camilla corre felice dalla mamma a raccontarle la sua scoperta.

 **PENSIERI DI PRIMAVERA** **LE MIE EMOZIONI**

Un giorno di primavera per me c'è stata una bellissima sorpresa.

Mentre ....

....

ho scoperto ....

....

....

allora ....

....

Disegna le tue emozioni.

Quando mi fanno le sorprese, sono così:

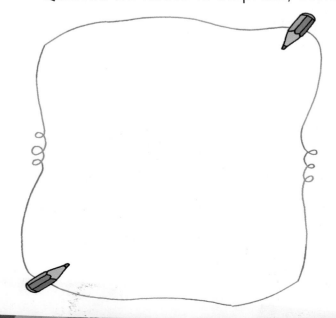

IO ♥ MONDO

IL VOLO DELLE RONDINI

Il nostro salice dormì fino a primavera.
A svegliarlo fu solo un gran prurito: erano le gemme che volevano aprirsi.
Si sgranchì pigramente i rami, poi diede il buongiorno al sole e si guardò intorno.
Qualche collega del frutteto era quasi fiorito, qualche sempreverde del bosco che non aveva dormito ora si scrollava di dosso l'ultima neve, uno scoiattolo sbadigliava. Era proprio primavera.
Il salice fece spuntare fiori e foglie salutandoli a uno a uno e cercando di disporli tutti in piena luce.
Il tempo passò così nella piacevole occupazione di rivestirsi di verde, quand'ecco un certo giorno vide per caso un puntino nel cielo, era lei… la rondine! Due, tre, cento, mille! Erano tornate le rondini!

Giampiero Pizzol, *Il volo delle rondini*, Fatatrac

ECO DRIN

Se trovi un uccellino caduto dal nido, lascialo dove l'hai trovato: la sua mamma lo aiuterà. Spostalo solo se è ferito, se è minacciato da un gatto o se è finito sulla strada.

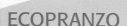
ECO CREO

ECOPRANZO

Ti serve: un vasetto di plastica vuoto, un pezzetto di corda, un ago.

1. Fai due buchi con l'ago sul fondo del vasetto e passa la corda nei buchini.

2. Riempi il vasetto con il cibo: piccole palline di carne macinata (per rondini e merli) oppure impasto di farina di mais, acqua e semi per canarini (per passeri e tortore).

3. Appendi il vasetto a un ramo o sul balcone. Gli uccellini non si faranno attendere!

NEL MONDO DELLA FANTASIA

Oggi nella classe di Anna e Marco si fa un'attività entusiasmante.
La maestra ha diviso i bambini in gruppi e ogni gruppo deve
inventare una fiaba.

• Osserva le immagini e leggi i fumetti.

Io dico di inventare una fiaba con un principe e una principessa.

Va bene, però ci vuole anche una strega cattiva e una fata buona.

Sì, dai, incominciamo a raccontarla, poi la scriviamo.

OBIETTIVI: riconoscere i comportamenti adeguati all'ascolto. Ascoltare bene i testi e comprendere il significato di termini specifici.

SO ascoltare

Ora rispondi alle domande

- I bambini del primo gruppo si ascoltano tra di loro?
- Da che cosa lo capisci?
- Riescono a mettersi d'accordo sulla fiaba da scrivere?
- I bambini del secondo gruppo si comportano come quelli del primo?
- Tu ascolti le idee dei tuoi compagni?
- Le accetti sempre?
- Che cosa fai se non ti piacciono?

LEGGE L'INSEGNANTE

- L'insegnante ti leggerà una fiaba scritta da alcuni bambini. Ascoltala e, insieme ai tuoi compagni, trova un finale diverso, poi disegnalo sul quaderno.

IL TESTO È IN GUIDA. 119

I PERSONAGGI DELLE FIABE

Rossana Guarnieri, *Fiabe e filastrocche*, De Agostini

C'è sempre un principe
su un bianco **destriero**
che corre a salvare
il suo amico prigioniero.

C'è sempre una strega
brutta e malvagia
con i capelli simili a serpi
e occhi rossi come di **bragia**.

C'è sempre un orco
così grande e grosso
che, quando sbadiglia
fa un **parapiglia**.

SUPER parole

Leggi il testo e scopri il significato di queste parole.
Collegale ai disegni.

Destriero

Bragia

Parapiglia

LEGGO e **comprendo**

Ecco alcuni personaggi delle fiabe.
Sai distinguere i personaggi cattivi **C** da quelli buoni **B**?
Colora il quadretto giusto.

C B   C B   C B   C B

GLI SCHERZI DI DOREMÌ

Mariagrazia Bertarini, *Le storie del mare*, Dami Editore

Doremì era un pesce trombetta che si divertiva un sacco a fare scherzi a tutti. Appena vedeva un pesce che dormiva, si avvicinava piano piano, si riempiva le branchie d'acqua e… PEPPEREPEEÈ! Il povero pesce si svegliava di soprassalto e scappava spaventatissimo a nascondersi tra le alghe, mentre Doremì rideva a crepapelle.

Un giorno il pesce trombetta passava davanti a una grotta, quando sentì qualcuno russare forte forte.

– Ih! Ih! Senti questo come dorme profondamente! – ridacchiò allegro Doremì.

Il pesciolino entrò nella grotta buia e con tutta la sua forza soffiò… PEPPEREPEEÈ! Nel buio si spalancarono due occhi enormi e cattivissimi.

– Aiuto, una murena! – gridò Doremì e questa volta fu lui a scappare e a nascondersi terrorizzato.

Doremì si prese uno spavento tale che da quel giorno non fece più scherzi a nessuno.

Oh, certo, suona ancora allegro la sua trombetta, ma solo quando è sicuro di non disturbare nessuno!

LEGGO e **comprendo**

Metti in ordine le sequenze. Numera da 1 a 5.

LEGGO e **scrivo**

Racconta la storia del pesce Doremì. Completa le frasi sul quaderno.

Doremì era....
Amava fare....
Un giorno....
La murena si svegliò e....
Da allora....

121

L'INCANTESIMO DELLA FATA

AA.VV., *Fiabe d'oro*, Lito Editrice

SUPER parole

Malvagia, cioè… cattiva.
Deridere vuol dire…
prendere in giro.

C'era una volta una ragazza bella e buona. Aveva però una matrigna che non le voleva affatto bene.

Per questo motivo la malvagia matrigna le faceva svolgere tutti i lavori di casa.

Invece le sue sorellastre non facevano niente, pensavano solo agli abiti da indossare e a deridere la povera giovane, che avevano soprannominato Cenerentola, per i vestiti sporchi di polvere e cenere.

Un giorno arrivò l'invito per partecipare al ballo al palazzo del re.

La matrigna comprò i vestiti nuovi solo per le sue figlie. Cenerentola, ovviamente, sarebbe rimasta a casa perché c'era tanto lavoro da fare.

Quando le sorellastre uscirono per andare al ballo, Cenerentola, rimasta sola in casa, si mise a piangere.

STORIA

Prima dell'invenzione dell'automobile, le persone ricche usavano la carrozza per spostarsi. Era un carro molto elegante tirato da uno o più cavalli.

All'improvviso nella sua stanza comparve la fata Madrina che le chiese:

– Perché piangi così disperatamente, figlia mia?

Cenerentola raccontò cos'era successo.

– Non ti preoccupare, anche tu andrai al ballo – le promise la fata.

Si recarono assieme nell'orto. La fata, toccando con la sua bacchetta magica la zucca più grossa che trovò, la trasformò in una magnifica carrozza.

Quindi sparse delle briciole di formaggio per terra. Arrivarono subito sei topolini e un grosso topo. La fata, con la sua bacchetta, trasformò i topolini in sei bellissimi cavalli e il topo in un elegante cocchiere con un bel paio di baffi.

Per ultimo trasformò i poveri vestiti della ragazza nell'abito più bello ed elegante che si fosse mai visto e fece apparire uno splendido paio di scarpine di cristallo che si abbinava perfettamente al vestito.

– Puoi andare – disse la fata. – Ma ricordati di tornare a casa prima di mezzanotte, perché a quell'ora l'incantesimo finirà.

LEGGO e parlo

Sai come finisce la storia di Cenerentola? Se non lo sai, fattelo raccontare dall'insegnante e poi racconta tu osservando i disegni.

CORAGGIO LIAN

Tempo di fiabe, Edicart

Lian aveva il terrore dei draghi.

Non andava mai da nessuna parte senza la sua grossa borsa di seta al cui interno teneva un kit segreto anti-drago.

Non saprei dire che cosa ci fosse in quella borsa.

Il suo piano vero e proprio, quando fosse arrivato il terribile giorno, era di scappare, di correre il più velocemente che poteva!

Un giorno decise di andare a trovare la nonna che viveva in una casa oltre la collina.

Lian attraversò i boschi e raggiunse la cima della collina, quindi scese dall'altro lato.

Tutto d'un tratto, nascosto tra gli alberi, vide un grosso sbuffo di fumo. Poi un altro. Lian non ebbe dubbi: laggiù c'era sicuramente un drago!

Lian aveva il terrore dei draghi, però adorava la nonna.

Così scese lungo la collina verso il fumo, tenendo ben stretto il suo kit antidrago, pronta a mettere in salvo la nonna.

INGLESE

Kit è una parola inglese che indica una scatola di attrezzi.

Il drago stava facendo un rumore spaventoso, ruggendo e ansimando per tutta la vallata.

Lian corse più forte che poté.

Quando finalmente raggiunse la casa della nonna, corse dentro senza neppure bussare!

– Ah! Eccoti qui! – disse la nonna. – Che bellezza! – Afferrò la mano di Lian e la trascinò fuori. I ruggiti e l'ansimare diventarono più forti via via che la nonna si avvicinava e, quando Lian guardò verso l'alto, si trovò circondata dall'alito fumante del drago…

– Guarda! – urlò la nonna. – Si chiama treno!

E fu così che Lian smise di avere paura dei draghi.

LEGGO e **scrivo**

Rispondi alle domande sul quaderno.
- Di che cosa aveva paura Lian?
- Che cosa decise di fare un giorno?
- Che cosa vide tra gli alberi?
- Che cosa fece Lian?
- Dove la portò la nonna?
- Come andò a finire?

LEGGO e mi Diverto

Che cosa ci può essere nel kit antidrago?
Disegnalo nella valigetta.

ARRIVANO I GUZZNAG!

Peter Holeinone, *Folletti*, Dami Editore

Bzzz! Bzzz! Che cos'è questo rumore? Sono i Guzznag!

Hanno aperto una fessura nel tronco della Quercia Scura e scendono giù a invadere tutto il prato.

Ma sono decine... centinaia... no, sono migliaia! Ma chi sono i Guzznag?

Sentite che cosa stanno cantando!

"Trallallà! Trallallà! Siamo i Guzznag, chi non lo sa? Gnomi! Giganti! Fate! Folletti! Siamo venuti per farvi i dispetti. Il tempo è poco, la strada molta: a chi di voi toccherà questa volta?"

Questa volta è toccata agli Gnomi. I Guzznag infatti adorano sporcare tutto quello che è bianco e oggi per gli gnomi è giorno di bucato e per di più lo Gnomo Pasticciere ha appena finito di decorare le sue torte con lo zucchero a velo.

I Guzznag si gettano sulle lenzuola e saltano sulle torte sollevando nuvole di zucchero!

Gli Gnomi disperati li rincorrono agitando le scope per aria, ma ogni sforzo è inutile...

Gnomo Mago consola i suoi amici:

– Per fortuna i Guzznag escono dalla Quercia Scura solo una volta all'anno!

In questo periodo sarà meglio cucinare solo torte al cioccolato!

LEGGO e parlo

Hai mai fatto qualche dispetto a qualcuno? Perché? Quale dispetto hai fatto? Quali sono state le conseguenze?

LEGGO e comprendo

• Leggi le domande e sottolinea nel testo le parole che ti aiutano a rispondere.

Chi sono i personaggi misteriosi di questa fiaba?
Da dove vengono i Guzznag?
Che cosa amano fare?
Quante volte escono dalla Quercia Scura?
Chi ha paura dei Guzznag?

• Come può essere fatto un Guzznag?
Immagina e disegnalo sul quaderno.

LA PRINCIPESSA E L'ORCO

Veronica Pellegrini, *200 storie per bambine*, Giunti Kids

C'era una volta un orco brutto e cattivo che si era innamorato del bel sorriso di una principessa.

Un giorno la rapì e la portò nella sua casa nel bosco. Ma il sorriso della principessa da quel giorno sparì e lei iniziò a piangere disperata.

Un giorno una vecchia tutta gobba passò da quelle parti e le chiese perché piangesse.

Quando ebbe ascoltato la sua storia disse: – Non preoccuparti, so io cosa fare. Metti queste erbe nella minestra dell'orco. Sono molto potenti e… ma vedrai da sola che cosa succederà.

Dette alla principessa un sacchettino pieno di erbe e fiori e se ne andò.

La principessa preparò una minestra fumante e nel piatto dell'orco versò tutto il sacchettino.

– Mmmm, buona questa mines…

L'orco non aveva finito di parlare che diventò piccolo piccolo e si trasformò per sempre in una farfalla!

La principessa non poteva crederci, ma non c'era tempo da perdere e se ne scappò al suo castello.

La fanciulla tornò a sorridere e ogni volta che vedeva una farfalla si chiedeva se quelle ali colorate fossero dell'orco…

LEGGO e comprendo

• Chi è il personaggio cattivo di questa fiaba?
• Chi aiuta la principessa?
• Quale oggetto magico usa la principessa?
• Che cosa diventa l'orco?

LEGGO e parlo

Immagina di essere tu la vecchia: in che cosa trasformeresti l'orco? Perché?

FINA BELLINA

Vivian Lamarque, *Storie di animali per bambini senza animali*, Einaudi Ragazzi

Fina bellina era una bellissima, anzi bellina, giraffina-bambina.

Non abitava in una foresta, abitava in una città.

Chissà come era finita là. Per un po' aveva abitato in un cortile tutto grigio, circondato da case tutte grigie.

– Che brutto stare qua, – aveva detto dopo pochi giorni, e si era messa a girare per la città, in cerca di un luogo meno grigio.

Camminò e camminò, ma non le piaceva niente: non le piacevano le strade, non le piacevano i marciapiedi e neppure le rotaie del tram, e neppure i tram e neppure le auto e neppure le fabbriche e neppure gli uffici e neppure i semafori e neppure…

– Oh, finalmente questo luogo mi piace, – disse un giorno.

Era il parco giochi dei bambini e dentro c'era anche un bel Luna Park.

– Ho deciso, mi trasferisco qui.

E sui suoi documenti scrisse: "Fina Giraffina Bellina, via del Luna Park, Città Chi-lo-sa".

SUPER parole

Il Luna park è:

☐ un parco dove si vede la Luna.

☐ un parco dei divertimenti.

Infatti non conosceva il nome di quella città.

Fina aveva tre anni ed era alta tre metri. A colazione mangiava la cima di un ciliegio, a pranzo la cima di un pesco, a cena la cima di un albicocco.

I giardinieri del parco erano contenti, tutta fatica risparmiata per loro, non dovevano più salire su scale lunghissime per potare le piante.

Anche i bambini erano contenti, perché Fina bellina mangiava le foglie degli alberi, ma la frutta la lasciava a loro.

Li faceva arrampicare sul suo lungo collo per raccoglierla, e loro si divertivano un mondo.

Ma anche Fina bellina si divertiva un mondo.

LEGGO e **comprendo**

Il personaggio più importante della storia è:

☐ una giraffa. ☐ una bambina. ☐ un giardiniere.

Fina vive in:

☐ uno zoo. ☐ un Luna Park. ☐ una foresta.

Fina mangia:

☐ frutta. ☐ dolci. ☐ foglie.

LEGGO e **parlo**

Con i compagni prova a cambiare una parte della storia:
– *Oh, finalmente questo luogo mi piace, – disse un giorno. Era…*

Quale luogo potrebbe piacere a Fina? Dove potrebbe trovare foglie da mangiare e divertirsi un mondo? Continua tu.

IL BRUTTO ANATROCCOLO

Fiabe classiche e altre fiabe, Edicart

C'era una volta, vicino a uno stagno, un'anatra che covava cinque uova.

Un giorno sentì pio-pì, pio-pì. Gli anatroccoli erano nati! Com'erano belli! Li contò: uno, due, tre, quattro… ma dal quinto uovo, uscì un anatroccolo brutto, ma così brutto, che tutti iniziarono a prenderlo in giro e a beccarlo!

Il brutto anatroccolo era triste, e un giorno decise di andarsene perché non voleva più che gli altri gli ricordassero quanto era brutto!

Provò a unirsi alle oche selvatiche, ma neanche loro lo vollero.

– Vai via, ci spaventi i piccoli! – gli dissero.

Corse via, e attraversò lo stagno.

Quando calò la notte giunse vicino a una casetta.

Si accoccolò vicino alla porta, al riparo dal vento, e si addormentò.

La mattina dopo lo trovò la vecchina che abitava nella casetta. – Se vuoi puoi restare qui, con la mia gallinella e il mio gattino! – disse.

Ma gli animali lo scacciarono.

– Sei un buono a nulla! – gli urlarono.

– Non sai far le fusa e non sai far le uova!

Un giorno, il piccolo anatroccolo vide dei grandi uccelli bianchi che volavano in alto, nel cielo.

– Se soltanto potessi essere come loro! – disse sospirando.

Provò a volare e… ci riuscì.

Mentre si librava, felice, nel cielo, vide ancora gli uccelli bianchi nell'acqua.

Li raggiunse e, quando abbassò il capo, aspettandosi di essere beccato… vide la sua immagine riflessa nell'acqua! Era diventato un bellissimo cigno!

Il cuore gli scoppiava di felicità! Ma ricordando quanto aveva sofferto, non dette mai importanza alla sua bellezza!

LEGGO e comprendo

- Perché il brutto anatroccolo abbandonò lo stagno dove era nato?
- Dove andò quando giunse la notte?
- Quali animali incontrò?
- Che cosa fecero?
- Come finisce la storia?

LEGGO e mi Diverto

Partecipa anche tu alla lettura della storia. Rileggi con i compagni la fiaba e aggiungi dei suoni che animano personaggi e situazioni.

Magia della fiaba

Anna e Marco partecipano a un concorso di fiabe.
Leggi la fiaba che hanno scritto.

C'era una volta su un pianeta lontano il Paese della felicità, dove tutte le cose avevano dei colori molto vivaci e allegri.
La regina di questo Paese aveva i capelli rossi come il fuoco, gli occhi verdi come gli smeraldi. Indossava bellissimi abiti ricamati di fiori dai mille colori.
Su una montagna del pianeta, viveva la strega dei ghiacci, che possedeva soltanto il bianco della neve e il nero della notte.

La strega desiderava tanto avere i bellissimi colori del Paese della felicità. Così un brutto giorno rapì la regina dei colori e la chiuse in una grotta di ghiaccio, per poter ammirare i suoi colori ogni volta che voleva.
Un bel giorno, però, arrivò il re Sole e vide la regina. Con i suoi raggi trasformò il cielo nero in un bel cielo azzurro e sciolse la grotta di ghiaccio, trasformandola in un bellissimo arcobaleno.

La strega dei ghiacci fu talmente contenta dei colori che aveva portato il re Sole, che lasciò tornare la regina dei colori al Paese della felicità.

La fiaba di Anna e Marco racconta fatti che possono accadere realmente, o solo nel mondo della fantasia? Perché?

• Colora con tre matite diverse l'inizio della fiaba, lo svolgimento e la fine. La fiaba finisce bene o male?

• Nella fiaba ci sono tre personaggi, collegali alle targhette.

Il personaggio principale: PROTAGONISTA

Il personaggio cattivo: ANTAGONISTA

Il personaggio che aiuta il protagonista: L'AIUTANTE

Scrivo 10

● Inventa una fiaba, scegliendo fra i personaggi che ti vengono proposti. Poi scrivila seguendo lo schema.

PROTAGONISTA	ANTAGONISTA	AIUTANTE

INIZIO

C'era una volta ....

che era ....

e abitava ....

....

SVOLGIMENTO

Un brutto giorno arrivò ....

che ....

....

Per fortuna giunse in aiuto ....

che possedeva ....

così ....

FINE

Finalmente ....

....

....

....

NOTIZIE dal GIARDINO

ALMANACCO D'ESTATE

Osserva il calendario e rispondi alle domande.

- Quando inizia e quando finisce l'estate?
- Quali sono i mesi estivi?
- Quali feste ci sono in estate?

---

30 giugno

Carissimi Anna e Marco, come state?
In questo periodo nel giardino fa molto caldo e il mio laghetto è affollato. Ci divertiamo molto a giocare nell'acqua, poi ci stendiamo sull'erba e allora ci accorgiamo del canto un po' noioso delle cicale.

Nelle aiuole del giardino sono sbocciate le rose e davanti alle finestre della casa di Dino si vedono gerani di tutti i colori.

Ieri tutti insieme abbiamo raccolto le ciliegie; quando ne trovava due attaccate, Eli le appendeva alle orecchie di Asso. Le giornate si sono allungate e nonno Dino, dopo cena, si siede sotto il portico. Ascolta il canto dei grilli e conta le lucciole che brillano nella notte. Che atmosfera magica!

Buone vacanze!
Isa

GIUGNO

1	2	3	4	5	6	7
8	9	10	11	12	13	14
15	16	17	18	19	20	**21**
22	23	24	25	26	INIZIO ESTATE	28
29	30					

LUGLIO

1	2	3	4	5	6	7
8	9	10	11	12	13	14
15	16	17	18	19	20	21
22	23	24	25	26	27	28
29	30	31				

Quanti gerani fucsia, rosa e rossi! Le foglioline sembrano piccoli ventagli.

Come sono rosse e lucide le ciliegie! Possono diventare bellissimi orecchini!

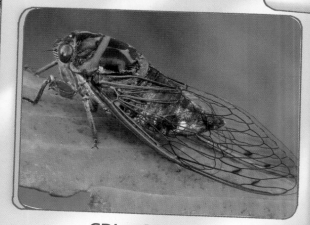

CRI... CRI... CRI: nei pomeriggi d'estate le cicale non stanno mai zitte!

AGOSTO

1	2	3	4	5	6	7
8	FERRAGOSTO	11	12	13	14
15	16	17	18	19	20	21
22	23	24	25	26	27	28
29	30	31				

SETTEMBRE

1	2	3	4	5	6	7
8	9	10	11	12	13	14
15	16	INIZIO AUTUNNO	19	20	21
22	**23**	24	25	26	27	28
29	30					

Felix Vallotton,
Il pallone,
Musée D'Orsay, Parigi

● Osserva il quadro.
Quale paesaggio è rappresentato? Che cosa puoi osservare in primo piano?
Che cosa vedi sullo sfondo?

MUSICA

Ascolta il brano musicale dal "Carnevale degli animali"
del musicista Camille Saint-Saëns e rispondi.

● Che cosa ti ricorda il brano? ☐ Una farfalla. ☐ Un uccello. ☐ Un'ape.

● Il brano ti fa pensare a un momento:
☐ triste. ☐ allegro. ☐ noioso.

● Chiudi gli occhi. Che cosa vedi, mentre ascolti il brano?
Disegna su un foglio.

● Questo brano comincia con il suono del **flauto traverso**.
Riconosci altri strumenti?

FELICITÀ

Che c'è di più bello
Di un cielo un po' azzurro
Con nuvole gonfie
Di panna e di sogni?
Che c'è di più bello
Di un albero pieno
Di frutti maturi
Dolcissimi e buoni?
Che c'è di più bello
Di un prato, ma grande,
Per corse infinite
Da scoppia polmoni?
Che c'è di più bello
Di un giorno d'estate
Col sole, in campagna?
Non ha paragoni.

Maria Vago, 101 poesie e filastrocche alcune bislacche, Larus

● Questa poesia ti sembra adatta a descrivere il quadro della pagina a fianco? Perché?

● Quali elementi nominati nella poesia mancano nel quadro? Segnali con una **X**.

☐ Cielo.

☐ Nuvole.

☐ Frutti.

☐ Prato.

☐ Sole.

crea

DIVENTO PITTORE

Ecco come fare

Trasforma il quadro della pagina a fianco, seguendo le indicazioni, poi rileggi la poesia.

● Riempi di frutti l'albero.
● Colora di azzurro il cielo e disegna una nuvola.
● Fai sbocciare tanti fiori nel prato.
● Colora la bambina come vuoi tu.

L'ARCOBALENO

Il cielo è scuro, si vedono i lampi e si sentono i tuoni.

Andrea e Caterina scappano a casa e cercano rifugio sotto il letto che è anche un bel posto per giocare.

All'improvviso vedono una luce nella stanza. È strano, visto che sta ancora piovendo. Escono dal loro rifugio e scoprono che nel cielo c'è l'arcobaleno. Allora corrono in giardino: la paura del temporale è passata e loro si mettono a ballare la danza dell'arcobaleno.

Cinzia Bonci, Mario Tozzi, *Le magie della natura*, Franco Panini Ragazzi

PENSIERI D'ESTATE

Un giorno d'estate ho provato una grande paura ....

....

....

....

....

Allora ....

....

LE MIE EMOZIONI

Disegna le tue emozioni.
Quando ho paura sono così:

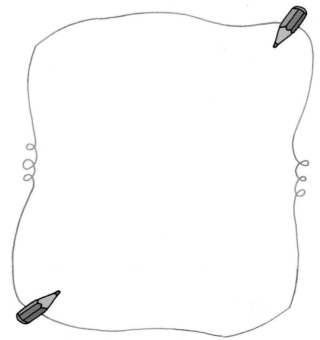

NATURA AMICA

AL MARE

Se ti trovi al mare rispetta queste semplici regole:

• non alzare o rovesciare i grossi sassi sulla riva, perché proteggono tanti minuscoli animali che al sole morirebbero;

• non lanciare in mare bottiglie di vetro: potrebbero rompersi e ferire qualche bagnante;

• non lasciare rifiuti sulla spiaggia;

• non far fracasso e non disturbare gli altri bagnanti.

Stefano Sibella, *Al mare*, De Agostini

ECO creo

ECOSECCHIELLO
Crea un cestino da spiaggia con un vecchio secchiello.

Ti serve: secchiello in plastica, forbici, colla liquida, pennello, vecchie riviste.

Ecco come fare.

1. Ritaglia da vecchie riviste immagini del mare e incollale sul secchiello. Ricoprilo tutto, senza lasciare spazi vuoti.

2. Mescola colla e acqua in un bicchiere e con un pennello ripassa completamente le immagini incollate. Fai asciugare.

3. Appendi il tuo cestino all'ombrellone: potrai metterci le carte delle merendine, lattine e altri rifiuti.

ECO DRIN
Un vero amico della natura rispetta sempre l'ambiente in cui si trova, anche quando va in vacanza!

L'ALFABETO

• Leggi le parole della Quercia Maestra e copia le lettere dell'alfabeto nei quattro caratteri.

Ciao, ti ricordi di me?
Sono la Quercia Maestra.
Anche quest'anno ti insegnerò
a leggere e a scrivere bene
con tante fiabe e filastrocche.
Prima però ripassiamo
insieme l'ALFABETO!

PARTI DA QUI!

M .... m ....
M .... m ....

N .... n ....
N .... n ....

O .... o ....
O .... o ....

P .... p ....
P .... p ....

Q .... q ....
Q .... q ....

R .... r ....
R .... r ....

Z .... z ....
Z .... z ....

S .... s ....
S .... s ....

Y .... y ....
Y .... y ....

X .... x ....
X .... x ....

U .... u ....
U .... u ....

T .... t ....
T .... t ....

W .... w ....
W .... w ....

V .... v ....
V .... v ....

RICORDA!

Nell'ALFABETO ci sono 5 lettere straniere: j (i lunga), k (cappa), w (vi doppia), x (ics), y (ipsilon).

141

LE DOPPIE

1 Leggi e sottolinea le parole con le doppie, poi scrivile nei disegni.

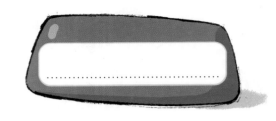

Caramella, cioccolato

Caramella
cioccolato,
torroncino
mandorlato,
marmellata,
gianduiotto,
io sto fuori
e tu stai sotto.

Maria Vidale,
*DO RE MI FA. Poesie
e filastrocche a volontà,*
Einaudi Ragazzi

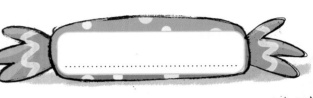

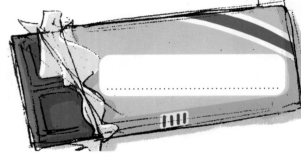

RICORDA!

Quando leggi le DOPPIE, pronuncia il suono più forte.

2 Osserva i disegni sulle caramelle, poi scrivi i loro nomi nel foglio giusto.

UNA DOPPIA	DUE DOPPIE

3 Scrivi sul quaderno una frase con ciascuna delle seguenti parole: pala/palla, casetta/cassetta.

GN - NI

1 Nonno Dino canta mentre lavora in giardino.
Sottolinea nella canzone le parole con GNI e NI.

Canzoncina di nonno Dino

Io sono un giardiniere
e ho nel mio paniere
due prugne e una castagna
un ragno e una pigna.
Pianto svelto un geranio perché
a casa mi aspettano lasagne e bignè.

RICORDA!
GNA, GNE, GNO, GNU
non vogliono mai la I.
Fa eccezione la parola
COMPAGNIA.

2 Scrivi nei due panieri le parole
che hai sottolineato nella canzone.

GN
....
....
....
....
....

NI
....
....
....

3 Completa le parole con GN o NI.

 a............ello

 cri............era

 ra............o

 ci............o

 cer............era

 carabi............ere

 lava............a

GLI - LI

1 Leggi la filastrocca, trova le parole con GLI e scrivile sulla foglia.

C'è un coniglio...

C'è un coniglio in Campidoglio
guarda le oche e resta sveglio
tutto luglio mangia l'aglio
lo si sente per un miglio.

Toti Scialoja, *L'ippopota disse "mo…"*, Mondadori Ragazzi

2 Scrivi sui puntini tutto quello che vedi disegnato sul cartellone.

Cavaliere
....
....
....
....

RICORDA!
Dopo **GL** devi sempre scrivere la **I**.

3 Completa con GLI o LI.

 venta..........o

gioco..........ere

 fo..........e

 conchi..........a

SCI - SCE - SCIE

Isa è convinta
di essere una
grande scienziata.
Leggi le sue parole.

> Io sono una scienziata coscienziosa:
> preparo sciroppi per i moscerini
> con il raffreddore, miscele di erbe
> per le bisce con il mal di pancia
> e strisce di alghe per i pesci
> con il mal di gola.

1 Sottolinea nel testo le parole con
SCI - SCE - SCIE e scrivile nelle tre ampolle.

RICORDA!

SCE non vuole mai la I, ma le
parole SCIENZA e COSCIENZA
e quelle che derivano da esse
si scrivono con SCIE.

SCI

SCE

SCIE

2 Osserva i disegni e scrivi al posto giusto i nomi
delle cose che vedi disegnate.

SCA · SCO · SCU

SCIA · SCIO · SCIU

QU - CU - CQ

1 Osso e Asso hanno ricevuto in regalo da nonno Dino un pacchetto di figurine. Aiuta i due amici a dividerle, seguendo le loro indicazioni. Scrivi al posto giusto il nome di ciò che vedi disegnato.

Le mie figurine hanno disegni di parole con QU.

Le mie figurine hanno disegni di parole con CU.

RICORDA!

QU è sempre seguita da una vocale, CU invece da una consonante.
Non seguono la regola: SCUOLA, CUORE, CUOCO, CUOIO.

2 Scrivi sul quaderno una frase per ogni parola delle quattro figurine.

 SCUOLA  CUORE  CUOCO  CUOIO

3 Che cosa rappresentano questi disegni? Scrivi i nomi al posto giusto.
Scegli tra: ACQUAZZONE ACQUERELLI ACQUARIO

RICORDA!

Le parole della famiglia ACQUA si scrivono con CQ.

....

LA DIVISIONE IN SILLABE

1 Leggi la filastrocca e scrivi le parole colorate a fianco, inserendo una sillaba in ogni casella.

Carletto

Anche il **babbo**

Era un **bambino**

E la **rana**

Era un **girino**,

Il **galletto**

Era un **pulcino**

E il **micione**

Un bel **gattino**

E **Carletto**,

Che gioca in **mutande**

Sarà **presto**

Un **uomo** grande!

Marco Moschini,
Rimerò per giocare con le filastrocche,
Gruppo Editoriale Raffaello

2 Dividi in sillabe come nell'esempio.

gat/to	pacco	asso	gonna
ven/to	lampo	banco	ponte
fe/sta	disco	casco	cesto
so/gno	pigna	foglio	giglio

R I C O R D A !
Le SILLABE sono pezzettini di parole. Quando vai a capo devi rispettare la divisione in sillabe.

3 Copia sul quaderno queste parole e dividile per sillabe.

cammello • cestino • casetta • coniglio • lavagna • albero • angelo

L'ACCENTO

1 Leggi il testo, poi scrivi le parole evidenziate nei foglietti. Sotto la pera verde scrivi le parole senza accento e sotto quella rossa le parole con l'accento. Che cosa noti?

Il pero e il contadino

C'era una volta un **pero** molto bello,
però anche tanto solo.
Un giorno **passò** davanti al pero,
con **passo** stanco, un contadino.
Era molto pensieroso e si sentiva anche
lui molto solo.
Vedendo il pero **carico** di frutti maturi, il
contadino decise di coglierli.
Li **caricò** sul suo carro e li **portò** al **porto**,
dove ebbe la fortuna di riuscire a venderli tutti.
Il contadino fu molto contento della vendita e
decise di costruirsi una casetta vicino al pero.
L'uomo e la pianta si presero cura l'uno
dell'altro e vissero felici.

2 Completa le frasi.
Scegli fra: suono – suonò, cascò – casco.

Il bidello .... la campanella,

ma non si sentì il .... perché era rotta.

Un ragazzo in motorino non portava il ....

In curva .... ma per fortuna non si fece male.

RICORDA!

Quando c'è l'ACCENTO, leggi più forte la fine della parola.

3 Scrivi sul quaderno una frase per ciascuna di queste parole.

CITTÀ CAFFÈ PAPÀ

L'APOSTROFO

1 Leggi e cerchia le parole con l'apostrofo.

È l'apostrofo...

L'orso, l'elefante,
l'ippopotamo volante
un'aquila, un'oca,
un'anatra che gioca
han tutti un virgolino.
È l'apostrofo, che vola in alto
come un piumino.

RICORDA!

L'APOSTROFO (')
è il segno lasciato
dalla vocale che se ne va.

LA APE   L'APE
UNA OCA   UN'OCA
SULLO ALBERO   SULL'ALBERO

2 Scrivi accanto ai disegni le parole della poesia, come nell'esempio.

RICORDA!

UNA vuole l'apostrofo
davanti alle parole che
iniziano per vocale.

 LO ELEFANTE
L'ELEFANTE

 LO ORSO
....

 UNA AQUILA
....

 UNA OCA
....

 UNA ANATRA
....

3 Togli la vocale e metti l'apostrofo, poi copia sotto.

IL NIDO È SULLO ALBERO.

....

LE TRECCINE DELLA INDIANA.

....

4 Metti l'apostrofo dove occorre. Osserva l'esempio.

All'orso piace tanto il miele. Una ape gli ronza intorno per difendere lo alveare. Punto dallo insetto, lo animale golosone corre a bagnarsi nella acqua del laghetto.

1. Che cosa c'è scritto nella riga colorata di giallo?
Completa il cruciverba
e lo scoprirai.

2. Osserva i disegni e scrivi le parole nel corpo del bruco,
dividendole in sillabe.

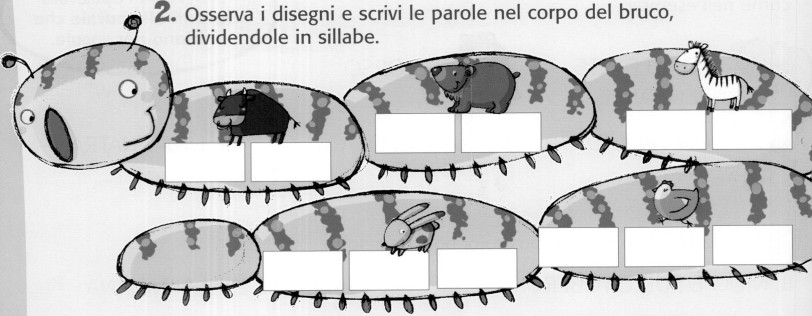

3. Colora la strada giusta per raggiungere la casetta del nonno.

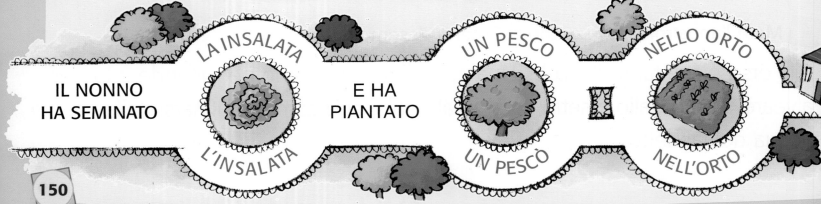

LA INSALATA

UN PESCO

NELLO ORTO

IL NONNO
HA SEMINATO

E HA
PIANTATO

L'INSALATA

UN PESCÒ

NELL'ORTO

LA COMUNICAZIONE

1 Osserva l'immagine. Leggi che cosa dice la streghetta.

1
Non vi preoccupate, questa volta starò via solo due settimane.

2
Passami la valigia, per favore.

3
Buongiorno, mi può dire quanto costa una settimana all'Hotel "Grandi Magie" sull'Isola delle Streghe?

• Osserva le tre immagini. In quale situazione si trovava la streghetta ogni volta che ha parlato? Scrivi per ogni situazione il numero del fumetto corrispondente.

2 Osserva l'immagine e leggi il fumetto. Perché la streghetta si rivolge all'uccellino? Indica la risposta giusta con una X.

Quanto manca all'Isola delle Streghe?

RICORDA!

Quando parliamo o scriviamo, dobbiamo usare parole adatte alla situazione in cui ci troviamo, a chi ci ascolta e a quello che vogliamo comunicare.

☐ Dare un'informazione.

☐ Chiedere un'informazione.

LA FRASE

La Quercia Maestra chiede ai suoi alunni di scrivere una cosa speciale, accaduta durante il fine settimana.

• Chi ha scritto in modo da far capire che cosa è successo? Perché?

Passato è aereo giardino sul un.
Ulisse

Un aereo è passato sul giardino.
Osso

RICORDA!

Per comunicare il tuo pensiero usi FRASI. Le frasi sono insiemi di parole messe nel giusto ordine.

1 Colora i rettangoli che contengono frasi.

La mamma ha cucinato una torta

Papà spesa fatto il ha la

Domani cinema andrò al

Paola ha dipinto un bel quadro

2 Scrivi una frase per ogni disegno.

La nonna..

....

RIDUCIAMO LA FRASE

• Osserva e leggi.

Osso corre dietro a una farfalla nel giardino.

Osso corre dietro a una farfalla.

Osso corre.

• La frase iniziale si è accorciata sempre di più fino a ottenere la frase più corta possibile: è la frase minima.

RICORDA!

La frase più corta si chiama FRASE MINIMA.

1 Osserva i disegni e riduci le frasi.

Marco mangia la pizza insieme ad Anna.

....

....

....

....

2 Riduci ciascuna frase cancellando tutti i pezzi possibili.

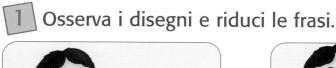

| Oggi | la maestra | spiega. |

| La mamma | ha telefonato | alla nonna. |

| A merenda | Laura | beve | il tè. |

IL SOGGETTO E IL PREDICATO

A scuola Isa
ha passato
un bigliettino
ad Asso.

• Leggi la frase che ha scritto Isa e rispondi alle domande.

Di chi si parla nella frase? Si parla di ....

Che cosa si dice? Si dice che ....

1 Osserva i disegni e completa le frasi.

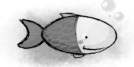

Soggetto

.... vola.

Soggetto

.... è rosso.

Predicato

La cavalletta ....

RICORDA!

Nella frase ciò
di cui si parla è il SOGGETTO;
ciò che si dice di lui
è il PREDICATO.

2 Scegli con una ✗ il soggetto
o il predicato adatto.

Un'ape/Un leone/Un serpente striscia.
La pioggia/Il vento/La neve soffia.
Il fiore balla/parla/è profumato.
Il sole bagna/gioca/splende.

3 Cerchia in blu il soggetto
e in rosso il predicato.

L'uccellino canta.
Scende la neve.
Un bambino legge.
Il sole è luminoso.
Cadono le foglie.

LA PUNTEGGIATURA: I PUNTI

1 Leggi questi due testi.
Quale dei due corrisponde ai disegni?

Biancaneve scappa
nel bosco. La matrigna
si guarda allo specchio.

Biancaneve scappa.
Nel bosco la matrigna
si guarda allo specchio.

RICORDA!

Il **PUNTO** (.) divide
una frase da un'altra.
Quando incontri il punto
devi fare una
pausa lunga.

2 Metti il punto dove occorre, poi copia le frasi sul
quaderno. Ricordati che dopo il punto devi scrivere
la lettera maiuscola.

La principessa e tutti gli abitanti
del castello dormono il principe
sveglia la principessa con un
bacio

3 Il Mago Dispettone ha rubato il punto interrogativo
e il punto esclamativo dai fumetti. Riscrivili tu.

Oh ☐ Che bella
fanciulla ☐

Tu chi sei ☐

RICORDA!

Il **PUNTO
INTERROGATIVO (?)**
si usa nelle domande.
Il **PUNTO ESCLAMATIVO (!)**
si usa per esprimere
sentimenti (paura,
gioia, sorpresa) oppure
per dare ordini.

LA PUNTEGGIATURA: LA VIRGOLA

• Che cosa fa il Mago Dispettone? Osserva le immagini e leggi il testo.

Il Mago Dispettone va in biblioteca, prende il libro della Sirenetta, cambia il titolo e rimette il libro al suo posto.

• Quale tipo di segno, nella frase, separa le azioni che compie il Mago Dispettone? Fra le ultime due azioni che cosa c'è?

1 Scrivi sul quaderno le azioni che compi per fare un disegno. Ricordati di scrivere la virgola fra un'azione e l'altra e la e prima dell'ultima azione.

2 Il Mago Dispettone ha scritto un elenco di cose da comprare. Si è dimenticato di mettere la punteggiatura. Inserisci tu le virgole e la e.

Devo comprare: una bacchetta magica ☐ una sfera di cristallo ☐ un nuovo cappello ☐ un sacchetto di polvere d'oro.

RICORDA!

La VIRGOLA (,) viene usata per separare le parole negli elenchi e per dividere le frasi molto lunghe. Quando incontri la virgola, devi fare una pausa breve.

3 Osserva i disegni e collega con una freccia ogni frase al disegno che la rappresenta.

Mentre il gatto dorme, sul divano Laura legge.

Mentre il gatto dorme sul divano, Laura legge.

1. Osserva le immagini. Riordina le parole, poi scrivi le frasi esatte sulle righe.

UN DIVENTA
PRINCIPE
RANOCCHIO IL

....

....

RANOCCHIO
PRINCIPESSA
BACIA LA IL

....

....

2. In queste frasi cerchia di blu il soggetto e di rosso il predicato.

È arrivata la nonna.
Squilla il telefono.
Soffia il vento.

Il gelato è buono.
Un aereo decolla.
Il mare è calmo.

3. Leggi e metti i punti e le virgole al posto giusto.

Un giorno una strega decise di trasformare il suo

castello in un albergo ☐

Con un colpo di bacchetta magica fece sparire:

ragnatele ☐ polvere ☐ ragni ☐ topi e pipistrelli ☐

La strega indossò un vestito luccicante ☐

si spazzolò i capelli e si mise il profumo ☐

La strega si guardò allo specchio e disse:

– Chi è questa bella fanciulla ☐

– Ma sono io ☐

NOMI DI PERSONA, ANIMALE E COSA

1 Nella filastrocca ci sono tante parole che indicano travestimenti.
Sono scritte con colori diversi. Copiale nei cerchi con lo stesso colore.

Travestimento

Io mi vesto da pompiere
tu da vespa o candeliere
lui da essere spaziale:
travestirsi non è male!

Io mi vesto da regina
lui da sacco di farina,
lui da frate o da serpente:
travestirsi è divertente!

Io mi vesto da canguro
tu da cavolo maturo,
lui da papera o da cuoco:
travestirsi, che bel gioco!

Roberto Piumini, *I giochi giocando*,
Emme Edizioni

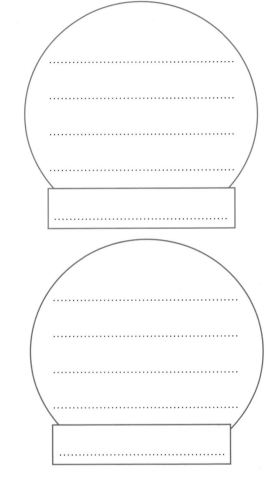

• Scrivi nei cartellini
dei cerchi se i nomi
sono di persona,
animale o cosa.

Le parole che hai
scritto si chiamano
NOMI.

2 Scrivi il nome sotto ogni disegno.

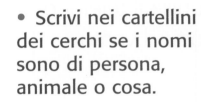

RICORDA!

I NOMI sono parole
che indicano tutto ciò che
ci circonda: le persone,
gli animali, le cose.

NOMI COMUNI E NOMI PROPRI

• Leggi.

Nonno Dino ha deciso di andare a visitare il paese Fiorello sul monte Cimabianca. La sua nipotina Anna e il suo nipotino Marco vanno con lui. Tutti salgono sul fuoristrada Grigione. Dalla casa del nonno escono di corsa il cane Osso, il gatto Asso e il topino Ulisse. I tre animaletti esclamano: – Aspettateci, veniamo anche noi!

• Ricerca nel testo e scrivi accanto a ciascun nome comune il nome proprio corrispondente.

RICORDA!

I NOMI PROPRI, come i nomi comuni, possono essere di persona, di animale e di cosa. I nomi propri si scrivono con la lettera maiuscola.

NOMI COMUNI	NOMI PROPRI
nonno nipotina nipotino	....
cane gatto topino	....
fuoristrada monte paese	....

1 Copia il testo sul tuo quaderno, inventando nomi propri diversi.

2 Completa il tuo biglietto da visita.

Nome: ....
Cognome: ....
Via: ....
Città: ....

3 Collega i nomi comuni ai nomi propri.

bambola   Freccia
robot   Superics
cavallo   Felicina
uccellino   Adriatico
città   Piumetto
mare   Milano

NOMI MASCHILI E NOMI FEMMINILI

1 Leggi la filastrocca e scrivi i nomi dentro i cartellini del disegno.

Il mio quadro

Dipingo un bel prato
dai fiori rallegrato
aggiungo il cielo
e una nuvola fatta di velo.
Disegno un bambino
che chiamo Tonino
con una capretta
dal nome Loretta.
Vicino a due casette
ci son tre paperette.
Il quadro ora è finito
ed è il mio preferito.

RICORDA!

I nomi possono essere MASCHILI (prato) o FEMMINILI (nuvola).

• Che cosa hanno in comune i nomi dei cartellini azzurri? E quelli dei cartellini rosa?

2 Scrivi M se è maschile o F se è femminile.

erba ☐   tavolo ☐   muro ☐

canguro ☐   mamma ☐   infermiera ☐

pulcino ☐   maestro ☐   farfalla ☐

3 Trasforma al femminile e scopri che cosa succede.

PERO ....

ARANCIO ....

CILIEGIO ....

4 Scrivi sul quaderno il femminile di questi nomi.

maestro
infermiere
leone
attore

NOMI SINGOLARI E NOMI PLURALI

Numeri

Stan nel cesto tre micetti:
tre le teste, sei gli
occhietti,
le zampette una dozzina,
ogni gatto una codina;
le pulcette nella cesta
son ventuno. Sette a testa.

Maria Loretta Giraldo, *Rime per tutto l'anno*,
Giunti Junior

RICORDA!

I nomi che indicano un solo elemento si chiamano **SINGOLARI**, i nomi che indicano più di un elemento si chiamano **PLURALI**.

1 Accanto al nome scrivi il numero che indica la quantità.

CESTO ☐
MICETTI ☐
TESTE ☐
OCCHIETTI ☐
ZAMPETTE 12
GATTO ☐
CODINA ☐
PULCETTE ☐

• Colora in verde i quadratini che indicano un solo elemento e in azzurro i quadratini che indicano più di un elemento.

2 Scrivi S accanto ai nomi singolari, P accanto ai nomi plurali.

gatti ☐ tovaglia ☐ bambina ☐ zaini ☐

torta ☐ scimmie ☐ libri ☐ ape ☐

3 Scrivi i nomi accanto ai disegni.

....

....

....

GLI ARTICOLI

• A scuola Osso perde sempre le cose e le chiede in prestito ad Asso.
Leggi i fumetti e cerchia nei disegni le cose chieste da Osso. Che cosa osservi?

Per favore, mi presti **un** pennarello?

Per favore, mi presti **il** pennarello rosso?

1 Completa con gli articoli determinativi. Ricorda!
LA e LO vogliono l'apostrofo davanti ai nomi
che iniziano per vocale.

.... topo	.... casa	.... gnomo
.... orso	.... ala	.... gomma
.... stivali	.... aerei	.... muri
.... onda	.... nuvole	.... cane

2 Completa con gli articoli indeterminativi. Ricorda!
UN vuole l'apostrofo soltanto davanti ai nomi femminili.

| .... rosa | .... albero | .... sbaglio | .... ape |
| .... orso | .... amica | .... amico | .... gatto |

3 Completa con gli articoli adatti.

.... topo goloso trovò .... forma di formaggio.

.... topo non riusciva a fare entrare .... forma nella sua tana.

RICORDA!

Gli **ARTICOLI**
sono piccole parole che
stanno davanti ai nomi.
Il lo la l' i gli le indicano una
cosa precisa e si chiamano
ARTICOLI DETERMINATIVI.
Un uno una un' indicano
una cosa qualsiasi e
si chiamano **ARTICOLI
INDETERMINATIVI.**

GLI AGGETTIVI QUALIFICATIVI

• Un giorno Michele incontrò un extraterrestre.
Ecco come era fatto.
Leggi e disegna l'extraterrestre nel riquadro.

TESTA: grande e rotonda.
OCCHI: piccoli e blu.
PELLE: verde.
ORECCHIE: lunghe e pelose.

• Le parole in rosso ti hanno aiutato a capire com'era fatto l'extraterrestre. Sono parole che indicano le qualità dei nomi.

RICORDA!
Le parole che indicano le qualità dei nomi si chiamano AGGETTIVI QUALIFICATIVI.

1 Sottolinea gli aggettivi qualificativi.
Rispondono alla domanda COM'È? COME SONO?

La casa è piccola.   Il vaso è rotto.

I fiori sono profumati.   Il film era divertente.

2 Segna con una X gli aggettivi qualificativi adatti al nome.

FIORE	profumato ☐	aspro ☐	colorato ☐
DIVANO	morbido ☐	maturo ☐	comodo ☐
BAMBINO	velenoso ☐	educato ☐	simpatico ☐

3 Collega gli aggettivi che hanno un significato contrario.

Lungo   Scuro
Pesante   Acerbo
Chiaro   Leggero
Maturo   Corto

• Scegli tre aggettivi e per ciascuno scrivi una frase sul quaderno.

I VERBI

Ulisse è andato a trovare un suo amico, che vive
in una fattoria. Al suo ritorno, Ulisse racconta
ai suoi amici che cosa ha visto.

Non capisco!

• Leggi e poi rispondi
alle domande.

Un contadino
il trattore.
Le galline i chicchi
di grano.

Che cosa
facevano?

• Perché Eli non capisce? Che cosa dice Osso?
Completa tu le frasi di Ulisse. Aggiungi queste parole:

beccavano	guidava

Un contadino .... il trattore.
Le galline .... i chicchi di grano.

RICORDA!
Le parole che hai
inserito indicano
le AZIONI.

 1 Collega le immagini alle azioni adatte.

SALTA

CUCINA

TAGLIA

VOLA

RICORDA!
Le parole che
indicano le azioni
si chiamano VERBI.

 2 Sottolinea i verbi.

Lisa guarda il mare.
Una rondine vola sul tetto.
In primavera sbocciano i fiori.
Un pittore dipinge un quadro.
I contadini coltivano le viti.
Nelle notti d'estate cantano i grilli.

3 Scrivi le azioni che compi durante
la giornata.

La mattina ....

e ....

Il pomeriggio ....

La sera ....

e ....

IL TEMPO DEI VERBI

Anna e Marco hanno deciso di dipingere un quadro con le tempere.
• Osserva le immagini e leggi.

PASSATO	PRESENTE	FUTURO

PRIMA Anna e Marco hanno preparato tutto l'occorrente.	ADESSO Anna e Marco dipingono con le tempere.	DOPO Anna e Marco appenderanno il dipinto nella loro cameretta.

• Quali azioni compiono Anna e Marco?
Le azioni di Anna e Marco avvengono tutte nello stesso momento? Quando avvengono?

RICORDA!

Le azioni possono avvenire in tempi diversi:
nel **PASSATO** (prima, ieri, in un tempo già trascorso);
nel **PRESENTE** (adesso, oggi, in questo momento);
nel **FUTURO** (dopo, domani, in un tempo che deve ancora venire).

1 Sottolinea in rosso i verbi al tempo passato, in verde i verbi al tempo presente, in blu i verbi al tempo futuro.

Ieri la mamma ha lavato le tende.
Paola e io giocheremo insieme.
Domani andrò dai nonni.
L'aereo è atterrato sulla pista.
Ora il mio fratellino dorme.
Una farfalla vola sui fiori.

2 Trasforma le frasi al tempo passato e poi al tempo futuro.

Il nonno legge il giornale.
Il bambino nuota in piscina.
Il gatto rincorre il topo.

IL VERBO ESSERE

Leggi.

Anna è nella sua cameretta.
La bambina è triste, perché non trova
più il suo pastello nuovo.
Marco aiuta Anna a cercare il pastello.
– È rosso. È nuovo – spiega Anna.
– Eccolo! È sotto il letto!
Anna ora è felice.

• Le parole che sono evidenziate nel testo, pur essendo
scritte nello stesso modo, hanno significati diversi.
Collega le frasi alle domande.

Anna è nella sua cameretta.
La bambina è triste.
È rosso. È nuovo.
Il pastello è sotto il letto.
Anna ora è felice.

COME SI SENTE?

DOV'È?

COM'È FATTO?

RICORDA!
Il verbo essere,
quando è usato da solo,
può avere il significato
di SENTIRE, STARE,
ESSERE.

1 Completa le seguenti frasi, usando il verbo essere.

Silvia   (Dov'è?) ....
La mamma   (Come si sente?) ....
La macchinina (Com'è?) ....

2 Osserva le immagini e completa le frasi con è oppure e.
Ricordati che il verbo essere vuole l'accento.

 L'uccellino .... nel nido.

 Ho comprato l'album .... le figurine.

 Io mangio pane .... marmellata.

 Il cielo .... nuvoloso.

IL VERBO AVERE

• Gli amici del giardino si preparano a fare un picnic.
Leggi i fumetti e cerchia le parole che significano POSSEDERE,
PROVARE LA SENSAZIONE DI...

Tu hai la frutta.

Isa ha la torta di mele!

Loro hanno l'insalata con le uova e il formaggio.

Osso ha tanta fame!

RICORDA!

HO, HA, HAI, HANNO significano POSSEDERE, PROVARE LA SENSAZIONE DI.... Si scrivono con l'H.

1 Osserva le immagini e completa i fumetti.

Io .... freddo!

.... ancora fame?

Adesso loro .... sonno!

Ulisse .... sempre tanta energia!

2 Completa le frasi con ho, ha, hai, hanno.

HO

Io .... dieci figurine.

Io .... sonno.

Io .... un cane e un gatto.

HA

Mara .... una tartaruga.

La mia casa .... un grande giardino.

HAI

Tu .... un bel vestito.

Tu .... il computer?

Tu .... sete?

HANNO

Le rose .... le spine.

Le bambine .... freddo.

1. Colora gli spazi del disegno seguendo le indicazioni.

● NOMI COMUNI
● NOMI PROPRI

● NOMI DI PERSONA   ● NOMI DI COSA
● NOMI DI ANIMALE

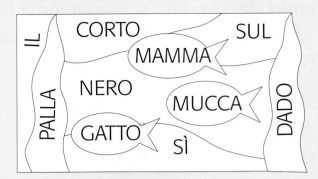

● NOMI MASCHILI
● NOMI FEMMINILI

● NOMI SINGOLARI
● NOMI PLURALI

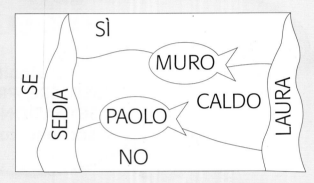

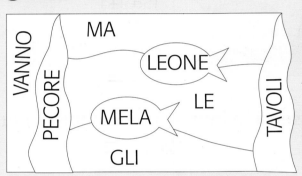

2. Metti nel riquadro rosso l'articolo determinativo e nel riquadro blu l'articolo indeterminativo adatto a ciascun nome.

☐ ☐ albero

☐ ☐ zoccolo

☐ ☐ penna

☐ ☐ fiore

☐ ☐ isola

3. In queste frasi sottolinea i verbi.

Luca suona la chitarra.
Martina mangia un panino.
Io scrivo una lettera a una mia amica.
Il gabbiano vola nel cielo.
Marco gioca con il robot.

4. Cerchia nelle frasi gli aggettivi qualificativi.

Ho visto un film divertente.
Un agile gatto nero ha attraversato la strada.
Un grande aquilone rosso vola nel cielo.